Charlotte Kerner
Blueprint
Blaupause

...gerade deshalb
D. gewidmet

Charlotte Kerner

Blueprint Blaupause

Roman

Mit einem Nachwort
und einem Essay zum Film
von Charlotte Kerner

Blueprint – Blaupause wurde mit dem Deutschen Jugendliteraturpreis ausgezeichnet und – mit Franka Potente als Hauptdarstellerin – verfilmt.

Die Hörspielfassung des Buches erschien beim *Hörverlag*.

Ebenfalls lieferbar: »Blueprint« im Unterricht
in der Reihe *Lesen – Verstehen – Lernen*
ISBN 978-3-407-62704-9
Beltz Medien-Service, Postfach 10 05 65, 69445 Weinheim
Kostenloser Download: www.beltz.de/lehrer

Diese Buch ist erhältlich als:
ISBN 978-3-407-74102-8 Print

Lektorat: Susanne Härtel
Neue Rechtschreibung
Einbandgestaltung: Cornelia Niere, München,
unter Verwendung eines Motivs von Estelle Klawitter/Zefa/Corbis
Gesamtherstellung: Beltz Bad Langensalza GmbH, Bad Langensalza
Printed in Germany
14 15 16 17 18 21 20 19 18 17

„Der Tierzüchter *weiß* jeweils, was er vom Tiere will.
Aber wissen wir auch, was wir vom Menschen wollen?“

Hans Jonas, Philosoph

Inhalt

Blueprint

Prolog

Iris war rücksichtslos, also erwartet auch keine Rücksicht von mir. Ich trete nur in ihre Fußstapfen.

Es ist doch auch eine Art Klonen, wenn ich meine Erinnerungen und Gedanken hervorhole und mich neu zusammensetze. Nach zweiundzwanzig Jahren erschaffe ich mich noch einmal. Denn ich bin eine Überlebende, die versucht zu verstehen: unser Ende und unseren Anfang, ihr Ende und meinen klonigen Anfang.

Vor zwei Wochen ist mein Mutterzwilling gestorben und ich sitze wie früher an unserem schwarzen Konzertflügel, der mir als Kind so furchtbar mächtig erschienen ist. Mister Black haben wir ihn getauft, als ich sieben Jahre alt geworden war und Iris mir endlich erlaubt hatte, darauf zu spielen. Voller Stolz hatte ich damals das schwarz glänzende Holz und die weißen und schwarzen Tasten gestreichelt.

Ich werde diese Tasten nie mehr anschlagen. Der Deckel bleibt für immer zu, wie bei dem Sarg, in dem Iris jetzt liegt.

Auf Mister Blacks hölzernem Rücken liegen leere Blätter. Doch ich setze nicht wie sie Noten auf die schwarzen Linien, komponiere keine Musikstücke. Ich reihe nur Buchstabe an Buchstabe, Wort an Wort.

Ich will herausfinden, wer das ist, der hier am Konzertflügel sitzt.

Das Wort Klon mag ich übrigens nicht, weil es inzwischen zu abgenutzt und abgelacht ist. Ich nenne mich lieber *Blueprint*. Die Blaupause ist eine Kopie, die ohne Umwege über ein

Negativ gewonnen wird und auf einem weißen Grund blaue Linien zeichnet.

Blau ist schon immer meine Lieblingsfarbe gewesen und natürlich auch die von Iris, dieser vermessenen Frau, die sich für eine Göttin hielt. Im Jahr null, als ich gemacht und geboren wurde, begann meine Geschichte, die ich – genau wie mich selbst – *Blueprint* nennen will.

Doppelgöttin

Das Jahr null

Als Iris mich zum ersten Mal gedacht hat, war sie sicher genauso allein und verzweifelt, wie ich es bin, seit sie mich verlassen hat. Und deshalb bin ich ihr nun wieder so nah, dass es wehtut. Es ist schrecklich, allein zu sein, wenn man krank ist. Das wissen wir beide. Sie hatte damals MS und ich bin heute seelenkrank.

Dass ich einer der ersten Menschenklone bin und noch dazu eine der Ersten unserer Art, die erwachsen geworden sind und überlebt haben, sieht man mir natürlich nicht an. Äußerlich wirke ich ganz normal, sehe aus und rede wie jeder Einling. Der Horror spielt sich innen ab und der beste Horror war schon immer der von der unsichtbaren Sorte. Wer sich im Dunkeln fürchtet, singt manchmal laut.

Was ich aufschreiben will, ist ganz radikal nur meine Geschichte unseres Lebens: Siris Geschichte. Trotzdem bemühe ich mich, die Wahrheit zu schreiben. Doch was ist das schon, die Wahrheit?

Wahr ist, was Iris mir erzählt oder mein medizinischer „Vater“ mir geantwortet hat, als ich ihn später traf und mit ihm gesprochen habe.

Wahr meint aber zuallererst und vor allem das, an was ich mich erinnere. Also erwartet keine normale Biografie. Denn wahr ist auch das, was ich als Zwillingsschwester, als Iris-Klon, hinter den Fakten erfühle. Und weil wir doch immer schon ein Herz und eine Seele waren – und vielleicht auch noch sind –, kann ich ganz leicht in Iris' Haut und Hirn schlüpfen. Als Klon kann ich schließlich Iris oder Siri sein oder ich bin uns beide gleichzeitig. Manchmal steige ich auch einfach aus und werde jemand Drittes, der die Geschichte von Iris und Siri erzählt. Dann kann ich mich/sie/uns betrachten, wie eine Forscherin ihre Versuchsanordnung im kalten, blauen Laborlicht beobachtet.

Iris war gerade dreißig Jahre alt geworden, als sich ihr Sehnerv zum zweiten Mal entzündet hatte und sie die letzten Hoffnungen begraben musste. Nun gab es keinen Zweifel mehr: Sie hatte die Multiple Sklerose im Leib und das bestätigten auch die verschiedensten medizinischen Tests.

Iris hatte sich genau informiert, was MS bedeutete. Die Sellins wollen immer die Wahrheit wissen, sonst fühlen sie sich ohnmächtig! Die harte Statistik sagte: Innerhalb von zehn Jahren würde die Krankheit wahrscheinlich ausbrechen. Immer mehr Entzündungen, kleinen Kabelbränden gleich, würden im Laufe der Zeit die Nervenhüllen und Nervenfasern in ihrem Körper schädigen und sie am Ende vielleicht lahm, blind oder auch verwirrt zurücklassen. Wie der Verlauf auch sein würde – leicht, schwer oder sehr bösartig – in jedem Fall drohte ihr, der berühmten Pianistin Iris Sellin, ein unaufhaltsamer Abstieg.

Bei dieser zweiten Sehnerventzündung im Sommer vor dem Jahr null schoben sich von rechts und links dunkle Wände in ihr Blickfeld und bildeten eine schwarze Gasse, die in einen Abgrund führte. In ihren Träumen sah Iris in dieses dunkle Loch, von wo es keinen Weg zurück gab. Doch sie würde nicht abstürzen, das schwor sie sich. Sie schlug ihr Nein in die Tasten des Flügels, bis die Finger schmerzten.

Die Diagnose MS schleuderte sie heraus aus der normalen

Welt und machte sie aufsässig und trotzig. Sie wollte sich diesem Schicksal nicht beugen, nicht sie! Niemals! Nacht um Nacht wälzte sie sich schlaflos im Bett und verfluchte ihren Körper, der so jämmerlich versagte. „Warum gerade ich!“, schrie sie.

Ihre Karriere, ihre Kunst, das Komponieren waren immer alles für sie gewesen. Doch plötzlich zählte das nicht mehr. Plötzlich trauerte sie, dass sie keine Kinder hatte. Niemand, dem sie ihr Talent, ihr Wissen weitergeben konnte. Niemand, der ihr Erbe antreten würde. Niemand, in dem sie weiterleben würde. Niemand, den sie wirklich liebte und der sie wiederliebte. Iris hatte nie geahnt, wie allein sie war. In tiefster Ausweglosigkeit überfielen sie Gefühle, die sie zuvor als primitive Fortpflanzungsinstinkte belächelt hatte.

In dieser Zeit der Verzweiflung stieß sie zufällig auf einen Zeitungsartikel über Professor Mortimer G. Fisher aus dem *Center for Reproductive Medicine and Bioengineering* in Montreal, Kanada. Zu einer anderen Zeit hätte sie den Bericht wohl überlesen oder bestenfalls überflogen und genauso schnell wieder vergessen. Aber was hier stand, elektrisierte sie: Der englische Forscher hatte das Klonen von Säugetieren sicherer gemacht, denn endlich hatte er den so lange gesuchten zentralen Entwicklungsschalter in den Genen entdeckt und konnte ihn nun ganz gezielt „anschalten“.* Nachdem Iris den Bericht mehrmals durchgelesen hatte, wusste sie, was sie zu tun hatte, um ihr Schicksal zu ändern.

Als es dir schlecht ging, Iris, erst dann sehntest du dich nach einem Kind. Du wolltest neues Leben dem alten, kranken ent-

* zum wissenschaftlichen Hintergrund s. S. 185ff.

gegenstellen. Aus Wut! Weil du nicht glauben konntest, dass man vergeht. Weiterleben wolltest du in der anderen, oder noch besser, ewig leben! Ein verzweifelter Wunsch, der nur Verzweifeltes hervorbringen konnte.

Als du den Bericht über Fisher gelesen hattest, dachtest du zum ersten Mal an mich, deine Klon-Tochter, und dieser Gedanke ließ dich nicht mehr los. Er gab deinem Leben einen neuen Sinn und ein neues Ziel: mich. Oder genauer, dich noch einmal. Iris Sellin zum Ersten und zum Zweiten. Bieten Sie mit?

Meine Mutter in spe war ihrer Zeit nicht voraus, sie handelte nur zeitgemäß. Wir Klone waren im Kommen. Die Einelternfamilie ab dem Zeitpunkt der Zeugung stand auf der gesellschaftlichen Tagesordnung. Ob Mann oder Frau – endlich war jeder ganz unabhängig vom anderen Geschlecht. Die Jungfernzeugung für Frau und Mann – welch ein Fortschritt! Ein Schritt in die Zukunft, aber Vorsicht! Stolpergefahr mit blauen Beulen, blau wie eine Blaupause, *blue like a blueprint*.

Iris Sellin handelte schnell. Sie ließ über ihren Manager, Thomas Weber, einen Konzertveranstalter in Montreal informieren, dass überraschend noch ein Termin im nächsten Monat frei geworden sei, und anfragen, ob kurzfristig Interesse an einem Auftritt bestehe. Die Zusage für ein Konzert im Oktober kam prompt. Iris schickte Professor Mortimer Fisher zwei Karten für das Konzert, dritte Reihe Mitte, denn höchstwahrscheinlich war er verheiratet. In einem Begleitbrief bat sie wegen einer dringenden Angelegenheit um einen Termin am Tag danach. Wenig später bestätigte Fisher das gewünschte Treffen.

Unendlich langsam vergingen die nächsten sechs Wochen, dann endlich stand Iris Sellin in Montreal auf der Bühne. Sie machte den Forscher im Publikum ohne Probleme aus, sein Bild kannte sie aus der Zeitung. Während des Schlussapplauses hatten sie Blickkontakt und nickten sich zu.

Ein Pressefoto aus dieser Zeit zeigt, wie meine Mutter aussah, als sie mit dem Gedanken an mich schwanger ging. Ich mag das Bild, weil es so typisch für sie/mich/uns ist – sehr typisch: Ihr Gesicht ist eher rund und nicht zart, aber sie wirkt anziehend und intelligent mit der hohen Stirn und dem forschen, angriffslustigen Kinn. Graublau die großen Augen, die streng blicken und Distanz schaffen, auch wenn sie lächelt. Die lockigen, halblangen Haare, die aber nicht kraus sind, fallen in die Stirn. Etwas struppig und widerborstig stehen sie vom Kopf ab, geben ihr etwas von einem trotzigen, wilden Kind. Die Lippen sind schön geschwungen, aber eher schmal, und wenn sie nicht lächelt, wirken sie schnell verkniffen. Das Lächeln, das sie auf dem Foto zeigt, ist gewinnend und gleichzeitig leicht überheblich.

Genauso sehe ich heute auch aus, nur einige Jahre jünger. Doch die Unterschiede zwischen Anfang zwanzig und Anfang dreißig verschluckt ein Foto leicht. Leben im Rückwärtsgang: Das Foto in Stücke reißen, die Fetzen kauen und schlucken. Hinein mit der Mutter in den Bauch der Tochter! Damals war es umgekehrt.

Am Tag nach ihrem umjubelten Montrealer Konzert saßen sich Iris Sellin und Mortimer Fisher gegenüber. Das Büro des Arztes lag im obersten Stock des *Repro*, wie seine Fortpflanzungsklinik in der Stadt genannt wurde. Durch das Fenster sah man auf den Mont Royal. Die Bäume hatten ihr buntes Laub schon fast abgeworfen. Es war der Herbst vor dem Jahr null.

Der Mediziner bedankte sich für die Einladung und machte Iris Komplimente: „Sie haben Ihren Lieblingskomponisten Mozart im ersten Teil des Konzertes wirklich erfrischend neu interpretiert. Noch mehr beeindruckt hat mich aber der zweite Teil mit Ihren eigenen Kompositionen", sagte er. „Besonders dieser Zyklus mit dem indischen Namen, den ich nie behalten kann. Diese klare Struktur, diese eigenwillige Folge der fünf Stücke für Violine, Fagott, Kontrabass und Klarinette und dann am Ende die Vereinigung aller Instrumente. Das hat mich sehr angesprochen."

„Der Titel des Stückes ist Satya und das bedeutet Ritual und Gesetz", erklärte sie. „Alles menschliche Handeln folgt schließlich Gesetzen, magischen, kosmischen oder mathematischen. Auch meine Musik entsteht nicht allein in der Welt der reinen Klänge. Ich beachte ebenfalls diese Gesetze und komme dadurch zu neuen Ausdrucksformen. Nichts anderes machen Sie, wenn Sie forschen, Zusammenhänge aufdecken und in ganz neue Gebiete vorstoßen. Sie enträtseln sogar die kleinste aller Welten, den Zellkern. Große Forscher sind sehr oft gute Musiker oder zumindest Musikliebhaber. Zwischen uns gibt es viele Gemeinsamkeiten. Auch Sie spielen sehr gut Klavier, habe ich gehört. Und ich hätte fast Mathematik und Physik studiert – lachen Sie nicht. Als Schulkind wollte ich eine zweite Madame Curie werden. Schon deshalb verfolge ich immer fasziniert, was in den Naturwissenschaften passiert."

Der Forscher war Mitte vierzig und attraktiver, als sie erwartet hatte. Nicht groß, doch kräftig gebaut, und er trug eine dieser modischen, aber nicht zu übertrieben kleinen Nickelbrillen. Sicher las er nicht nur wissenschaftliche Bücher.

Auch Mortimer Fisher gefiel sein Gegenüber, ihre lebhafte Stimme und der feste Blick ihrer Augen. Er beugte sich zu ihr hinüber, legte seine Hand scheinbar beiläufig und doch erkennbar absichtlich auf ihren Arm und fragte: „Was kann ich für Sie tun, Frau Sellin? Warum wollten Sie mich sprechen?"

Iris erzählte Professor Fisher von ihren beiden Sehnerventzündungen. „Ich habe mich schon daran gewöhnt, dass ich nicht mehr scharf sehe, wenn ich etwas fixiere. Wenn ich vom Blatt abspiele oder auch beim Komponieren, wenn ich die Noten notiere, schaue ich immer knapp rechts oder links an den Punkten vorbei, das klappt inzwischen ganz gut ... Aber ich weiß auch genau, was mich noch erwartet. Ich habe mich informiert und es gibt keinen Zweifel an der Diagnose MS. Wenn ich Glück habe, bleiben mir noch einige gesunde Jahre, aber dann ..." Ihre Stimme versagte.

Sie hatte das ehrliche Entsetzen auf dem Gesicht des Forschers erwartet und in dieses Entsetzen hinein fragte sie: „Wollen Sie mir helfen?"

Diese Frage hatte Fisher nicht erwartet, aber er ließ sich seine Unsicherheit nicht anmerken. Mit seiner ruhigen Arztstimme schuf er geübt Distanz, um sich zu fassen: „Aber Frau Sellin, Sie wissen doch so gut wie ich, dass es weder ein wirkliches Medikament noch eine Gentherapie gegen diese Krankheit gibt."

„Das weiß ich. Aber Sie können mir trotzdem helfen ..." Hier setzte Iris eine kleine Pause.

Pausen sind so furchtbar wichtig. Und Pausen wusste Iris nicht nur in ihren Kompositionen, sondern auch im richtigen Leben immer sehr effektvoll einzusetzen. Pausen als Zwischenräume steigern die Spannung. Pausen bereiten den Höhepunkt vor.

Fisher war sich nicht sicher, was die große Pianistin von ihm wollte.

„Was kann ich tun, was nicht schon andere versucht haben?“, fragte er gespannt.

Als Iris Sellin dann endlich ihr Anliegen vorbrachte, klang es völlig einleuchtend. „Klonen Sie mich“, forderte sie mehr, als sie fragte.

Einen erwachsenen Menschen noch einmal auferstehen lassen! Diesen Gedanken kannte Fisher nur zu gut. Einer der Ersten zu sein, die es wagen! Davon hatte er oft geträumt. Inzwischen waren nicht mehr dutzende geklonter Eizellen nötig, um zum Ziel zu kommen. Sein Verfahren hatte das Klonen sicherer gemacht. Dadurch wurde es so viel leichter, das altmodische Tabu, keine menschlichen Klone, hinwegzufegen!

„Aber ich habe mit der neuen Methode bisher nur Mäuse und Kühe geklont.“ Fisher bemühte sich, ruhig zu bleiben. Diesen banalen Einwand brachte er nur vor, um Zeit zu gewinnen, und dabei wusste er ganz genau, wie wenig überzeugend er klang.

Iris lächelte fast herablassend. „Ich weiß und deshalb nehmen Sie jetzt mich“, entgegnete sie, „einen willigen, weiblichen *homo sapiens*. Säugetier bleibt schließlich Säugetier. Ich habe nichts zu verlieren, aber alles zu gewinnen. Das gilt auch für Sie. Wenn Sie mich klonen, sind Sie auf der sicheren Seite. Und ich verspreche Ihnen auch, dass ich nichts dagegen habe, die ganze

Sache öffentlich zu machen. Ich bin öffentliche Auftritte schließlich gewöhnt. Niemand kann und wird am Ende gegen uns oder gegen das Klonen sein ... das wissen Sie so gut wie ich."

Nein, du warst nicht irgendwer, sondern jemand Besonderes. Und alle gieren doch nach dem Besonderen, nach etwas, das sich aus der Masse heraushebt.

Wer hätte etwas gegen einen zweiten Picasso oder einen zweiten Mozart einzuwenden? Wer gegen eine zweite Clara Schumann, eine zweite Fanny Hensel-Mendelssohn? Natürlich wolltest du dich nie mit diesen ganz Großen gleichsetzen, aber Durchschnitt warst du auch nicht. Bravo!, werden die Leute rufen. Eine neue Iris Sellin, das hat sich wenigstens gelohnt. Denn wer will schon dumme Dutzendware, die den ganzen Aufwand doch nicht wert ist. So hast du auch ihn gelockt und verführt.

Moralische Bedenken hattet ihr nicht. Welche auch? Warum sollte es gegen die Würde eines Kindes sein, dem Nachwuchs von Anfang an gute Erbanlagen mitzugeben und die genetische Lotterie, den Zufall, auszuschalten? Keine Nieten mehr, Volltreffer garantiert! Greifen Sie nur zu! Das überzeugt, um mit Sicherheit elterliche Wünsche zu befriedigen.

Die Wünsche des Klons interessierten weniger, aber woher auch solltet ihr beiden unsereins oder gar unsere Gefühle kennen? Wir waren ja noch nicht vorhanden, noch nicht von dieser Welt, nur pure Hirngespinste und kranke Kopfgeburten, Allmachtsphantasien.

Fisher hatte oft gegrübelt, ob es jemanden gab, der stark genug wäre für seinen Klon. Und jetzt stand ein Mensch vor ihm, der sich tatsächlich klonen lassen wollte. Ein Mensch, ausgestattet mit der dafür nötigen Portion Größenwahn, das ideale Klon-Elter. Was sollte da noch weiteres Zaudern? Diese Frau, die seine geheimsten Gedanken aussprach, war zu allem entschlossen.

Dieses Gefühl kannte Fisher nur zu gut, die tiefe Überzeugung und das sichere Wissen. Es musste so sein. Das allein war der richtige Weg, auch wenn alle anderen abwiegelten oder einen für verrückt hielten. Dasselbe Gefühl hatte auch ihn bei seiner Arbeit oft geleitet und am Ende niemals betrogen. Auch als er den Gen-Schalter für die embryonale Entwicklungsuhr entdeckt und bei einem Säugetier zum ersten Mal angeschaltet hatte. Dass Iris Sellin hier stand, war Schicksal. Sie hatten sich treffen müssen.

In die gespannte Stille hinein fragte Fisher: „Und Sie wollen keine Leihmutter mieten? Sie wollen dieses Klonkind selbst austragen?"

„Auf jeden Fall! Dass sich die MS verschlimmert, dieses Risiko gehe ich ein. Es steht fünfzig zu fünfzig, das weiß ich. Doch was habe ich schon zu verlieren und wieviel zu gewinnen! Meine Tochter soll von Anfang an die bestmögliche Umgebung haben und das bin doch ich. Wir wachsen zwar nicht wie andere eineiige Zwillinge gleichzeitig in einem Bauch heran. Nicht nebeneinander, sondern ineinander sind wir als Mutter und Tochter und eineiige Zwillinge."

Müsste ich dich nicht allein dafür lieben, Mutter? Du wolltest mich in dir wachsen lassen und nicht in einer Fremden. Dein Leben für mich riskieren. Doch es war ein kühl kalkuliertes Risiko, Schwester, das du eingegangen bist. Es war nicht Liebe, die mich in die Welt brachte. Nie gab es eine unvernünftige, verrückte, schöne Liebe, sondern nur Eigennutz, der mich entstehen ließ. Ich war dein Überlebensplan.

Immer lauter und bestimmter ist deine Stimme dann sicher geworden und ich sehe genau, wie sich dieser harte Zug um deinen/meinen Mund verstärkte, der dich/mich immer so hässlich macht.

Schonungslos sprachst du vor Fisher aus, was du später auch mir oft genug gesagt hast: „Für mich kommt nur ein Klon-Kind in Frage. Ich könnte es nicht ertragen, mich an ein unbegabtes Kind zu verschwenden."

Nein, du hast deine Liebe nie verschwendet, an kein Kind und keinen Mann. Du kanntest niemanden, von dem du dir ein Kind gewünscht hättest. Du warst nicht geschaffen für eine echte Partnerschaft, höchstens für eine Klonschaft. Tief in deinem Inneren hast du gefühlt, dass allein das dir entsprach. Du konntest niemanden so lieben wie dich. Und nur um dich noch mehr lieben zu können, wolltest du mich, den Klon.

Wenn ich dir später deine Selbstsucht, diese übersteigerte Selbstliebe, vorgeworfen habe, hast du dich nicht einmal gewehrt. „Das stimmt sogar. Aber darin bin ich doch keine Ausnahme", hast du mir sanft lächelnd entgegnet. „Alle suchen sich in ihren Kindern. Nur ich gebe es offen zu. Ich wollte radikal nur mich, von Anfang an nur mich." Gegenrede zwecklos.

Du wolltest dich noch einmal erschaffen lassen. Hieltest dich für wert, noch einmal geboren zu werden. Unsterblich wolltest du sein – nur jemand mit solch einer Vermessenheit würde sein Ebenbild am Ende auch ertragen können. Das hast du dir eingebildet und genau das sollte dein größter Irrtum werden. Wir sind nämlich nicht so leicht auszuhalten!

Weil du damals noch so unwissend warst, stelltest du dich ganz nahe vor Fisher, ohne ihn jedoch zu berühren, und sagtest: „Werden Sie der Vater meiner Tochter! Bitte klonen Sie mich!"

Jede Komponistin weiß, wie lockende, schmeichelnde Töne klingen müssen, wie sie Gänsehaut und erotische Spannung erzeugen kann. Und du sagtest tatsächlich: Vater. Welch ein Hohn!

Fisher widerstand deiner menschlichen Verführung und der wissenschaftlichen Versuchung nicht; wissenschaftliche Gier paarten sich mit menschlicher Neugier. Er nickte und in einer kurzen Umarmung habt ihr zwei den Pakt besiegelt: Götter, ihr beide.

In den alten Mythen war der Zwillingsvater entweder ein Gott oder ein Dämon, die Zwillingsmutter dagegen galt häufig als untreues oder besessenes Weib oder als Wahrsagerin. Denn die Geburt von Zwillingen deuteten die Menschen schon immer als etwas Besonderes: als ein übernatürliches Zeichen, das Glück, aber auch Unglück ankündigte.

Doch bevor ich als Iris-Zwilling geboren werden konnte – ob als Glücks- oder Unglückszeichen, würde sich erst noch herausstellen –, musste ich gezeugt werden. Fisher hat mir später genau erzählt, wie und wo mein kloniges Leben seinen Anfang genommen hat.

Am Vormittag des 7. Januar im Jahr null dirigierte Mortimer G. Fisher eigenhändig das Telemikroskop mit den beiden Joysticks in die Ruheposition. Die Laboruhr zeigte 10 Uhr 45. Er selbst hatte die entkernte Eizelle mit dem reinen Iris-Programm bestückt. Diesen Kern aller Dinge hatte er einer Hautzelle von

Iris Sellin entnommen. Über eine haarfeine Glaskanüle hatte er dann das Eiweiß eingeschleust, um die Lebensuhr mit dem Fisher'schen Verfahren anzuschalten. Doch noch gaben die Schaltergene keine Kommandos, noch blieb der Zellcomputer stumm.

Der kleine Punkt in der Zelle glich jetzt einem schwarzen Auge. Zusammengeknüllt in diesem schwarzen Pünktchen war der eineinhalb Meter lange DNS-Faden der Auftraggeberin. Das kleine dunkle Ding maß im Durchmesser gerade ein Hundertstel Millimeter und doch enthielt es ein ganzes Lebensprogramm: eine Menschengeschichte, niedergeschrieben in hunderttausend Bänden, auch Gene genannt. Und jede dieser gewaltigen Gen-Bibliotheken des Lebens birgt so vieles, Banales wie Geheimnisvolles: das Aussehen eines Menschen und sein Temperament, seine Möglichkeiten und die Art, wie jemand die Welt wahrnehmen wird. Das Gewisse und das Ungewisse. Eines Menschen Anfang und sein Ende.

Diese verdammte Ruhe, in die Fisher noch immer blickte, machte ihn nervös. Dann stand die Zeit in dem Inkubator endlich nicht mehr still, die Zelle begann sich zu teilen. Die Laboruhr zeigte 11 Uhr und Fisher war über das Telemikroskop Zeuge, wie eine weitere Lebensuhr zu ticken begann.

Die DNS-Stränge teilten und verdoppelten sich, die Schicksalsfäden entwirrten sich, strebten auseinander und formten zwei Zellkerne. Nicht mehr ein Auge, sondern ein Augenpaar – auf dem Bildschirm zehntausendfach vergrößert – erwiderte nun triumphierend seinen Blick.

„*Welcome, Iris two*", begrüßte er das neue Leben, das einmal Iris Sellins Tochter sein würde. Er schloss den Spross in einen Brutschrank ein, wo er in achtundvierzig Stunden zu einem kräftigen Achtzeller heranreifte. Zwei Tage später machte der Iris-Klon unter dem Mikroskop einen gesunden Eindruck, alle Zellen waren regelmäßig und ebenmäßig. Der Klon war für die Übertragung bereit.

Iris wartete in einem Nebenraum. An zwei Dinge erinnerte sie sich später ganz genau. Zum einen, dass in dem Zimmer neben dem Bett ein bequemer Polstersessel stand, auf dem sonst besorgte Ehemänner sitzen und ihren Frauen Händchen halten. Heute blieb der Stuhl leer und das gab ihr ein Gefühl fast absoluter Unabhängigkeit. Sie war ganz bei sich.

Und dann war da noch die Erinnerung daran, dass sie fast hysterisch lachen musste, weil ihre Schwängerung sich als banale, leicht beschämende Ruck-Zuck-Prozedur entpuppte.

Für die Übertragung des Embryos musste sie die Beine auf eine rechts und links am Bett angebrachte Halterung legen. So mit angewinkelten und gespreizten Beinen dazuliegen, empfand sie ein wenig obszön. Iris hielt deshalb die Augen geschlossen, als Fisher mit einem angewärmten Spekulum ihre Scheide weitete. Der Kittel raschelte, sein Atem hinter dem Mundschutz war hörbar. Die Assistentin in einem türkisgrünen Kittel reichte ihm den biegsamen Plastikschlauch, in dem der Embryo schwamm.

„Jetzt kann es ein wenig wehtun", warnte Fisher, als er die Kanüle durch den Muttermund schob.

Es gab einen kleinen, aber scharfen Picks, dann war da nur noch eine kühle Feuchte.

„Ich lasse Sie jetzt allein", sagte Fisher und seine Gummihandschuhe quietschten, als er sie abstreifte. Kurz drückte er die Hand seiner Patientin und verließ dann das Zimmer. Mit geschlossenen Augen nahm Iris Sellin die Beine aus der Halterung und die Assistentin deckte sie zu, bevor endlich auch die Schwester aus den Raum ging.

Iris wälzte sich auf den Bauch, presste ihr heißes Gesicht in das kühle Kissen und erstickte einen Freudenschrei und ein unbändiges Lachen.

Du musstest laut lachen vor Glück. Du fühltest dich so wie beim Komponieren, wenn du ahntest, dass dir etwas Neues gelang, wenn du etwas schaffen konntest, das es noch nie gegeben hatte.

Mit deiner Musik bist du in neue Welten vorgestoßen. Musik sei niemals nur Klangkunst, sondern immer auch Zeitkunst und in ganz besonderen Momenten etwas für die Zukunft, hast du mir später erklärt. Immer wenn Komponisten Regeln gebrochen haben, eröffneten sich neue Wege.

Und genau das ist damals geschehen, als du mit mir geschwängert wurdest: Du hast Regeln gebrochen, alte Menschheitsregeln. Das Klon-Kind ist die Frucht eines Regelbruchs.

Eine ganz besondere Komposition sollte ich werden. Doch unsere DNS, diese verdrehte Sprossenleiter, konnte von Anfang an nur verdrehte Harmonien hervorbringen. Hast du wirklich nie gehört, wie schrecklich schief alles klang? Dein absolutes Gehör hatte dich in diesem Fall im Stich gelassen.

Nun schwamm ich also als Zellklumpen in dir, und für dein Wunschkind, dieses noch ungeborene Wunderkind, suchtest du einen Namen.

„Ich werde dich Siri nennen, mein Mädchen“, hast du geflüstert. „Einen passenderen Namen gibt es nicht für dich.“

Du hast deinen Namen einfach rückwärts gelesen, um meinen zu finden. Wie wenig Mühe du dir doch gegeben hast in diesem abenteuerlichen Spiel mit dem noch unbekannten Einsatz und den noch unbekannten Regeln.

Das Spiel Klonopoly hat begonnen! Ziehen Sie bitte eine Ereigniskarte!

Bis zu diesem Zeitpunkt hattet ihr Einlinge nur mittels Computerprogrammen Menschen vervielfältigt. Längst verstorbene Schauspieler waren von den Toten auferstanden und ihre digitalen Klone bekamen die alten Rollen in neuen Filmen. Supermodels fabrizierte man auf diese Weise gleich im Dutzend, und mit Hilfe eines besonderen Befehls konnten die Schönen auf Knopfdruck altern: Falten gruben sich in die makellosen Hälse, Krähenfüße entstanden um die Augen, im Zeitraffer wurden sie zu Greisinnen.

Scanner konnten die Bilder toter Kinder in Computersysteme einlesen. Auf dem Bildschirm wuchsen diese *boy*- oder *girl*-Tamagotchis dann heran, gesteuert von Persönlichkeitsprogrammen, die Wissenschaftler aus ihren Gen-Codes und den Persönlichkeitsprofilen von Vater und Mutter entwickelt hatten. So konnten die verwaisten Eltern wenigstens auf dem Bildschirm ihre toten Kinder erleben und sehen, was aus ihren Sprösslingen geworden wäre, wenn sie tatsächlich gelebt hätten. Vor Schreck drückten manche Mütter und Väter die Taste *tilt* – ausgelöscht.

Für mich war es kein Spaß mehr: Raus aus der *virtual reality* deines Gehirns und rein in die Wirklichkeit deines Bauchs. In dem Programm Iris-Siri gab es weder den Befehl *tilt* noch die Taste *escape*. Da war kein Entrinnen für mich. Aus Iris wurde unaufhaltsam Siri.

Ich wollte leben, ja, so scheint es. Aber wenn ich gewusst hätte, was mich erwartete, hätte ich mich vielleicht für den Frühabort entschieden und mich nicht in deiner Gebärmutterschleimhaut festgekrallt.

Am Anfang, noch unsichtbar und willenlos, war das Kind so friedlich und harmlos, mehr ein unwirklicher Traum. Abends vor dem Einschlafen streichelte Iris ihren flachen Bauch und beschwor die zukünftige Lebensmitspielerin: „Wir müssen erst noch Zwillinge werden, mein kleiner Zweiling. Ich war viel zu lange ein Einling. Doch ich freue mich so auf dich. Wir werden ein schönes Paar sein."

Bereits zehn Tage nach dem Embryo-Transfer zeigte ein früher Schwangerschaftstest, dass Kopie und Original von nun an fest miteinander verbunden waren. Bis dass der Tod sie scheidet.

Du nanntest Fisher „meinen Erzengel Gabriel", als er dir die Freudennachricht überbrachte. Er hieß tatsächlich Gabriel, dafür stand das G. in seinem Namen. Welch ein Zusammentreffen, wirklich schicksalhaft!

„Du bist auserwählt unter den Weibern, und gebenedeit sei die Frucht deiner Gene, Iris. Und siehe, im zehnten Monat des Jahres null wirst du ein Kind gebären." So hätte der Weißkittel-Engel des 21. Jahrhunderts die moderne Jungfrauenzeugung verkündigen sollen und nicht einfach zu dir sagen: „Sie sind schwanger, Frau Sellin, herzlichen Glückwunsch!"

Denn der Geist der modernen Wissenschaft hat biblische Dimensionen. Er macht die himmlische Dreieinigkeit – ist sie nicht überhaupt das Vorbild aller Klone? – zur irdischen Zweieinigkeit. Oh, Erdenschöpfung, jeder und jede spielt Gott.

So hoch oben und so allein warst du, allein auch in der Anmaßung: Du schufst einen Menschen nach deinem Ebenbild. Du warst Mann und Frau, Mutter, Vater und Schwester in einem.

Du träumtest den dummen Traum von der Unsterblichkeit. Du träumtest, ich würde deine Musik spielen, dir meine Hände leihen, wenn deine Finger anfingen zu versagen.

Vielleicht warst du damals, als ihr mich gemacht habt, wirklich so allein und verzweifelt wie ich jetzt. Aber noch mehr warst du besessen.

Deine Idee von mir hast du zum Leben erweckt. Du hast mich komponiert wie ein Musikstück. Doch nicht mit den üblichen Tönen c, d, e, f, g, a, h, sondern mit den Basen A, T, G, C. Diese besonderen vier bringen die Lebensmelodie eines jeden Menschen zum Klingen. Deine DNS war der Masterplan, meine DNS nur ein Blueprint. Vom Vorbild zum Abbild, ich, die Blaupause deiner Gene.

Die Basenduos Adenin-Thymin und Guanin-Cytosin sind unsere Lebensakkorde, geplante Gen-Harmonie von Anfang an.

Ritsche, ratsche DNS, ritsche, ratsche DNS.

Aus eins mach zwei.

Jemand zweiteilen heißt doch auch, ihn töten.

Die Sprache lügt nicht, nur die Menschen lügen sich in die Tasche. Auch du hast dir etwas vorgemacht in deinem schwangeren Glück.

Voll Zuversicht flog Iris Sellin zurück nach Deutschland. In Frankfurt stieg sie um in ein kleines Flugzeug, das den Regionalflughafen von Lübeck ansteuerte, wo Thomas Weber auf sie wartete.

Er allein wusste von dem besonderen Wunschkind, das nun in Iris heranwuchs. Ihn hatte sie eingeweiht, weil er ihr engster Vertrauter und Manager war. Er hatte ihre Konzerttermine absagen müssen, hatte die Kompositionsaufträge neu terminiert und Anfragen mit der Ausrede „Arbeitspause wegen Überarbeitung" abgewimmelt. Er hatte ihr die Zeit verschafft, diese Zeugung zu vollziehen. Zuvor hatte er zwar mit aller Macht versucht, ihr das Kind auszureden, aber Iris war so stur geblieben wie immer, wenn sie etwas beschlossen hatte.

Iris und Thomas waren nie ein Liebespaar gewesen, sondern immer nur Freunde. Er betrieb die Konzertagentur „Classic on Stage" und hatte sie von Anfang an ermutigt, ihre neue Musik zu machen und viel mehr zu komponieren. „Wir haben schon genug Musik, die sich wie das Supermarktgedudel hinterhältig in unsere Hirne schleicht", war einer seiner Lieblingssätze. Er war ihr unbestechlicher Kritiker und Zuhörer und immer der Erste, dem Iris eine neue Komposition vorspielte. Und solche Momente brachten sie näher zusammen, als sie es als Paar je hätten sein können.

Von Anfang an hatte Thomas Weber diese Tochter-Idee nicht gemocht. Er ahnte wohl schon, dass ihm das Kind die Zuneigung von Iris streitig machen würde. Aber als guter Manager wusste er sie zu nehmen und so legte er ihr bei ihrer Ankunft ein Willkommensgeschenk in die Hände.

„Vorsicht, zerbrechlich!", sagte er.

Iris wickelte den Gegenstand aus dem knisternden Seidenpapier. Es war die Nachbildung einer Göttinnenstatue, eine kleine Marmorfigur, die griechische Inselbewohner vor mehr als 3000 Jahren geschaffen hatten. Aus dem Kopf der Göttin, die ihre Arme unter der Brust verschränkt hatte, ragte eine zweite, kleinere, aber identische Frau hervor. Mutter und Tochter, Doppelgöttin und Kopfgeburt zugleich.

Iris Sellin streichelte den weißen kühlen Stein. „Es ist das schönste Geschenk, das du mir je gemacht hast", sagte sie.

Die weiße Marmorfigur gibt es immer noch. Und wenn ich sie in die Hand nehme, fühle ich tatsächlich uns zwei: So hart und kalt warst du, so hart wie Stein bin auch ich. Und wenn man uns fallen lässt, zerbrechen wir. Als du starbst, hast du mich fallen gelassen. Jetzt bin ich ein Scherbenhaufen.

Als die schwangere Iris die Silhouette der Stadt erblickte, in der ihre Tochter aufwachsen sollte, zählte sie wie immer die in den Himmel ragenden sieben Kirchtürme mit ihren grünkupfernen Dächern. Zum ersten Mal fühlte sie nicht die Enge der backsteinfarbenen Puppenhäuser, die sie noch immer zum Widerspruch reizten, seitdem sie vor vier Jahren hierher gezogen war. Als jüngste Lehrkraft hatte sie damals die Dozentur für Musiklehre, Musiktheorie und Harmonielehre an der Musikhochschule angenommen, um finanziell abgesichert zu sein. Doch inzwischen konnte sie von ihren Konzerten und besonders von den Kompositionen leben.

Plötzlich sah sie diese nordische Stadt mit ganz anderen Augen. Sie schaute mit den Augen des Kindes, das jetzt noch nicht sehen konnte. Es war ein guter, ein schöner Ort zum Aufwachsen. Viel besser als die großen Städte, nach denen sie sich in den letzten Jahren gesehnt hatte.

Iris Sellin öffnete die Holztür zu ihrer Wohnung im Erdgeschoss des großen Hauses am Rande der Altstadt. In dem weiten Vorzeigeraum im Stil der Jahrhundertwende stand ihr

Flügel, im Zimmer daneben ihr lang gestreckter Arbeitstisch. Dort schrieb sie auf großen Bögen Transparentpapier mit Tusche ihre Kompositionen nieder, recht altmodisch und fast gegen die Zeit.

Wenn sie von einer Reise heimkehrte, war sie immer zuerst an den Konzertflügel gegangen. Doch mit der Tochter im Bauch war plötzlich alles anders.

Sie schritt den langen Flur ganz hinunter und öffnete die Tür zum Gästezimmer. Hier würde sie das Kinderzimmer einrichten, sie sah es bereits vor sich: das Kinderbett an der linken Wand, ein Regal mit bunten Kisten neben der Tür. Dort an der rechten Wand würde das Klavier stehen, und zwar genau so eins, wie sie es sich als Kind immer erträumt hatte. Ein Klavier mit alten Kerzenleuchtern aus Messing, die sich anklappen ließen, und schön geschnitzten Beinen. Davor ein runder Klavierschemel, der mit dunkelblauem Samt gepolstert war. Hinauf- und hinunterschrauben ließ er sich, und wenn er sich schnell drehte, war das wie Karussellfahren.

Würde Blau auch Siris Lieblingsfarbe sein?, fragte sich Iris. Habe ich Siri auch alle meine Erfahrungen vererbt?

Unsere glücklichste Zeit muss unsere Schwangerschaft gewesen sein. Kein Wunder, ich war noch kein Mensch mit einem Willen. Nur ein Wunschbild. Als ich in dir wuchs, Mutter-Schwester, verdrängte ich tatsächlich deine Gedanken an die MS. Die Angst, einen Krankheitsschub zu erleiden, die Angst, körperlich zu versagen, wurde mit jedem Tag kleiner und ich wurde jeden Tag größer. Mit Lust und Freude übtest du Klavier, entwarfst sogar neue Kompositionen. Richtig euphorisch warst du, und dein behandelnder Arzt und alle, die dich gut kannten, schüttelten ungläubig den Kopf über dein Wohlbefinden. Doch ging es dir wirklich nur gut? Hattest du nicht auch Angst vor der eigenen Courage? Warum hast du mich denn sonst deiner Mutter so lange verschwiegen?

Als Iris bereits im fünften Monat war, entschloss sie sich endlich, mit ihrer Mutter zu reden. Sechzig Jahre war Katharina Sellin damals alt gewesen und seit neunundzwanzig Jahren Witwe. Mit der einjährigen Iris waren die Eltern aus einem von Diktatur beherrschten Land nach Deutschland geflohen. Nur zwei Koffer und alte Kinderlieder, die Iris' Mutter ihrer Tochter fast jeden Abend unter Tränen vorsang, hatten sie aus der alten Heimat mitgebracht. Aber die Sellins trugen schwer an der Sehnsucht nach der vergangenen Welt und die wehmütige Musik hielt die Erinnerung an die Heimat jahrelang am Leben. Doch sie kehrten nie mehr dorthin zurück.

Der Vater, ein Physiker, starb zwei Jahre nach der Ankunft in Deutschland. An einem Morgen lag er tot im Bett. Herzinfarkt diagnostizierten die Mediziner; er ist an gebrochenem Herzen gestorben, sagte die Mutter. Iris konnte nicht weinen, sie begriff den Tod nicht mit ihren drei Jahren. Vaterlos wuchs sie auf.

Um mit der Tochter überleben zu können, musste die Mutter den Traum einer Pianistinnenlaufbahn endgültig begraben. Sie verdiente sich ihren Lebensunterhalt als Klavierlehrerin und ermöglichte ihrem Kind das, was sie selbst nicht haben konnte. Und Iris, das hoch begabte Kind, hatte willig geübt und gelernt und am Ende Erfolg gehabt.

Wegen der Dozentur war Iris dann nach Lübeck gezogen, doch ihre Mutter blieb in der kleinen Stadt in Süddeutschland.

Hier hatte sie sich eingelebt, hier hatte sie Freunde, hier war ihr Mann begraben.

Als Iris der Mutter am Telefon erzählte, dass sie ein Kind erwarte und schon in der zweiundzwanzigsten Woche sei, wurde es still am anderen Ende.

Katharina Sellin klang mühsam beherrscht, als sie wieder Worte gefunden hatte: „Hast du dir das auch gut überlegt? Was ist mit deiner Karriere?“

„Mach dir keine Sorgen, ich habe alles im Griff“, antwortete Iris.

„Wer ist denn überhaupt der Vater?“, wollte die Mutter wissen.

„Du wirst ihn nie kennen lernen.“

„Warum nicht?“ Katharina Sellin wirkte verletzt.

„Es gibt keinen Vater“, sagte Iris. „Es wird übrigens ein Mädchen wie ich und ich werde sie Siri nennen.“

„Was soll das? Iris, Siri – lächerlich. Und kein Vater? Ich verstehe das alles nicht.“

„Lass uns ein anderes Mal ausführlich darüber reden.“ Hastig verabschiedete sich Iris und legte den Hörer in die Halterung. Ihre Hand zitterte. Zum ersten Mal in der Schwangerschaft war ihr übel, schrecklich übel.

Ich weiß genau, warum dir schlecht geworden ist. Wie ein kalter Wind muss dich nach diesem Telefonat die Einsicht angeweht haben, dass du mir, der ungeborenen Siri, dein eigenes Leben noch einmal aufzwingen würdest. Vaterlos und von einer ehrgeizigen Mutter getrieben würde auch deine Tochter aufwachsen, genau wie du.

Du hattest Recht mit deiner Ahnung, Iris. Alle Menschen

wiederholen das, was ihnen angetan wurde, im Guten wie im Schlechten. Auch noch im Klon-Zeitalter sind wir Gewohnheitstiere.

Damals hast du die allerletzte Möglichkeit verpasst, deinen Klon freizugeben. Aber du hast dich deiner Ahnung widersetzt und dir in dieser Sekunde geschworen, alles anders zu machen als deine Mutter. Nie wolltest du mich um ein eigenes Leben betrügen. Zusammen hatten wir doch die Chance, es besser zu machen, unnötige Fehler zu vermeiden, Fehler, die das Leben in falsche Bahnen lenkten, aufhielten und schwer machten. Du würdest deine Tochter alles lehren und sie so gut verstehen wie keine andere. Wo sonst gab es eine Mutter und eine Tochter, die auch Zwillingsschwestern waren, eineiig und unzertrennlich, tatsächlich ein Herz und eine Seele?

Warum bloß bist du deiner kalten Ahnung nicht gefolgt und hast mich getötet? Dann säße ich jetzt nicht hier und wäre allein und ohne dich, dann wäre ich nicht nur noch ein halber Mensch.

In den folgenden Wochen und Monaten bist du oft an dem schwarzen Flügel gesessen und hast dem ungeborenen Mädchen die alten Kinderlieder vorgespielt. Die Töne waberten durch die Bauchwand, breiteten sich in dir aus und hüllten deine Siri ein. Als ob du alle Angst übertönen wolltest, so hast du gespielt. Den Kreislauf des Lebens hast du beschworen, wie es die Menschen seit Jahrtausenden in ihrer Musik, in ihren Liedern getan haben. Deine Hände tanzten wild für Anna Perenna, die römisch-antike Frühlingsgöttin. Nach dieser Göttin hast du dein Orchesterwerk genannt. Es sollte Iris' Wiedergeburt mit Trompeten und Posaunen verkünden.

C des b f e, b f e des c, f e c des b …

Das sind Anna Perennas kreisende Töne. Ich kenne es so gut, dieses Kreisen ohne Anfang und Ende. Es ist wie unser beider Leben, wie unser beider Namen: Iris-Siri-Iris-Siri ...

Von Anfang an vollzog sich mein Werden nur in deiner Iris-Welt, in einem Raum, der immer von deiner Musik erfüllt war. Die ersten Sinneseindrücke, die mein Gehirn speicherte, waren deine Melodien. Sie begleiteten mich, als ich Sehen, Riechen, Schmecken lernte. Und dann kam noch deine berühmte Komposition „Tautropfen" hinzu. In ihren Tönen badete ich, als die Schneckenwindungen in meinen Ohren zu wachsen begannen. Immer deutlicher hörte und unterschied ich die Töne, in deren Rhythmus ich mich hin und her wiegte. Im siebten Monat klopfte ich mit meinen Füßen und Händen bereits den Takt. Du stimmtest mich mit deiner Musik auf die Welt da draußen ein, machtest mich gefügig.

Und wenn du manchmal gezweifelt hast – das erzähltest du mir später –, ob diese Tochter wirklich so sein würde, wie du es erhofftest, hast du gegen deine Ängste angeredet: „Enttäusche mich nicht, Siri! Wir haben es doch so viel besser als die anderen Zwillinge, die schon im Mutterleib um Platz und Nahrung kämpfen müssen. Einige erdrosseln sich sogar aus Eifersucht mit der Nabelschnur. Du aber wächst in dir, ich trag mich in mir. Es gibt auf der ganzen Welt keinen vertrauteren Ort."

Und vor dem Einschlafen hast du geflüstert: „Komm bald, kleine Schwester, ich erwarte dich, Kehinde."

Später lernte auch ich diesen geheimnisvollen, sehnsüchtig klingenden Namen für den zweitgeborenen Zwilling lieben, Kehinde. Der Name kommt aus Afrika und bedeutet: „Hinter einer Person herkommen". Der Erstgeborene dagegen heißt Taiwo, „Den ersten Geschmack der Welt kosten".

Iris war Taiwo. Doch sie gab ihrer Zwillingsschwester nicht, wie seit Menschengedenken, mit ihrem allerersten Schrei das Zeichen, ihr nachzufolgen. Iris war bereits dreißig Jahre alt, als die Schmerzensschreie, die sie während der Wehen ausstieß, ihren Zwilling in die Welt riefen.

Am 12. Oktober des Jahres null wurde Siri Sellin ohne Komplikationen geboren. Klon-Kind und Klon-Mutter waren wohlauf. Doch die gerade dem mütterlichen Schoß entschlüpfte Tochter-Schwester schrie nicht wie andere Kinder. Leise, kaum hörbare Töne kamen aus dem kleinen Mund, als die Hebamme das Neugeborene hoch hielt und abnabelte.

Iris behauptete ihr Leben lang, in den allerersten Lauten der Tochter die Anfangstöne des Stückes „Tautropfen" erkannt zu haben.

„Sie singt meine Musik, hören Sie?", schrie sie glücklich. „Das sind die Tautropfen." Doch niemand glaubte ihr.

Nein, ich habe bestimmt nicht gesungen, als ich das Licht der Welt erblickte. Wahrscheinlich habe ich gewinselt. Bei meiner Geburt meldete ich nicht wie alle anderen Kinder mit einem lauten Schrei meinen Anspruch auf Freiheit an. Das hatte Iris mir schon ausgetrieben.

Heute hasse ich ihre Musik, und die „Tautropfen" besonders. Denn noch immer, wenn ich diese Melodie höre, bin ich wehrlos und bringe nur stumme Schreie hervor. Dann fühle ich mich wie ein Fisch, der kurz vor seinem Ende nach Luft schnappt.

Ich muss mir diese falschen Töne endlich aus dem Kopf schlagen.

Bum! Bum! Bum!

Aber wenn meine Stirn auf den hölzernen Leib von Mister

Black trifft, rast diese verdammte Melodie nur umso schneller durch meine Gehirnwindungen. Und dieses Kreisen will einfach nicht aufhören: Iris-Risi-Isir-Siri-Iris-Risi-Isir-Siri.

Unsere Namen haben denselben Klang, einen Klang. Wir waren Iris-Siri und Siri-Iris. Es sollte noch lange dauern bis zum *big bang*. Denn am Anfang unseres Zwillingsdaseins lebten wir tatsächlich im Einklang.

Einklang

KINDHEIT I

Mich gäbe es gar nicht, wenn es nach euch gegangen wäre, ihr Einlinge. Verbieten wolltet ihr jemanden wie mich und raushalten aus euren geordneten Familienverhältnissen. Doch meine Sorte war von Anfang an klüger als ihr und sehr hartnäckig. Zuerst haben wir uns als Wort breit gemacht. Wir haben alle „Doppelgänger" eliminiert und statt „ähnlich" sagten alle plötzlich und ganz zeitgemäß nur noch „geklont". Langsam schlichen wir uns so in eure Köpfe und besetzten immer mehr Denkplätze in euren Gehirnen.

Als ihr endlich gemerkt habt, dass ihr uns nicht mehr loswerden könnt, versuchten manche uns lächerlich zu machen, und immer mehr Klony-Witze gingen um. Andere drängten uns in die Horror-Ecke und schlachteten uns in Büchern und Filmen als Zombies und Organlieferanten aus.

Doch dann kam das geklonte Schaf Dolly – oder sage ich besser, der Wolf im Schafspelz? – in die Welt und fletschte die Zähne. Erst als dieses Tier laut blökte, begriff auch der letzte Mensch, dass wir tatsächlich nicht aufzuhalten und eine echte und ernst zu nehmende Gefahr waren. Die Lach-Monster-Schraube wurde daraufhin nochmals kräftig angezogen.

Angstlust machte sich unter euch breit. Zwischen „Nein, niemals!" und „Was wäre wenn ...?" habt ihr geschwankt. Prominente wurden nach ihren Klongelüsten gefragt und weiterhin malte man gröbste Klon-Horrorszenarien aus. Wissenschaftler beruhigten kurz vor der zweiten Jahrtausendwende mit dem alten Hinweis: Was beim Schaf oder der Maus machbar sei, gelinge noch lange nicht beim Menschen. Die Klügeren unter euch wägten jedoch schon kühl unser Für und Wider ab. Und während noch viele – wenn auch zunehmend halbherzig – bis zum Beginn des dritten Jahrtausends unserem Verbot das Wort redeten, hat Iris einfach gehandelt und mich in die Welt gesetzt und eure (Alp-)Träume wahr werden lassen.

Doch auch Iris konnte nicht wissen, wie das werden würde mit ihr und mir, mit uns, mit zweimal *sie* und zweimal *ich*. Auch Iris war unvorbereitet auf das Leben mit dem eigenen Klon.

Schon lange vor meiner Zeit wurde das Klonen mit der ersten Atomspaltung verglichen und das gefällt mir: Wir Klone sind wie kleine Atombomben. In den zwischenmenschlichen Beziehungen sprengen wir viel von dem in die Luft, was euch seit Menschengedenken lieb und teuer war und unveränderlich, ja ewig erschien. Nach uns bleibt ein genetisches Hiroshima zurück, ein seelisches Niemandsland, eine schwarze Liebeswüste.

Jemand, der Iris Sellin am Anfang des Jahres eins begegnete, sah nur eine Frau, die ein neugeborenes Kind in den Armen hielt. Das konnten nur Mutter und Tochter sein, denn Zwillingsschwestern sind gleich alt und nicht getrennt durch eine Generation. Noch tief in den beiden, in jeder einzelnen Körperzelle verborgen, lag das Klon-Geheimnis. Unsichtbar blieb ihr wahres Wesen für alle anderen. Nur Iris wusste davon. Aber was bedeutete schon dieses Wissen, denselben genetischen Code zu haben, wenn die eine ein paar Wochen alt ist und die andere zweiunddreißig Jahre! Jeder Mensch weiß, dass es eine Ewigkeit gibt, die sich sogar mathematisch beweisen lässt. Doch wirklich fassen und fühlen lässt sich diese Ewigkeit nicht, genauso wenig wie am Anfang der Klon.

Wenn Iris ihr Baby im Arm hielt, vergaß sie sogar manchmal, dass sie sich selbst und gleichzeitig ihre Zwillingsschwester wiegte. Dann überschwemmten sie die uralten Muttergefühle und sie verlor sich in dem kleinen Gesicht. Weich und sentimental wurde sie dann und sog den beruhigenden, süßlichen Babygeruch ein. Sie betrachtete die Fäustchen, hielt die kleinen Finger in der Hand und genoss das Schmatzen an ihrer Brust. Dann war sie eine Mutter wie jede andere.

Doch diese absichtslose Liebe währte nie lange, Iris konnte sich ihr nicht hingeben. Dieses Kind hatte einen Zweck, und nur wenn es diesen Zweck erfüllte, hatte es einen Sinn, hatte es ein Recht zu sein. Das konnte Iris niemals wirklich vergessen, auch wenn sie hin und wieder nicht daran dachte.

Iris' ganz eigenes Wissen, ihren Klon in Händen zu halten, hatte noch keine äußere Entsprechung. Deshalb betrachtete sie fast ein wenig hilflos ihre alten Babybilder in dem braunen abgegriffenen Lederalbum, das ihre Mutter vor langer Zeit für sie angelegt hatte. Und dann verglich sie die Gesichtszüge auf den Fotos mit denen der kleinen Siri, die sie im Arm hielt. Wenn sie sah, dass sich die Gesichter entsprachen, überkam sie eine tiefe Ruhe. Dann war sie sicher, dass alles gut werden würde.

Auch du, Mutter-Schwester, hattest keine Wahl mehr, als ich in deinen Armen lag. In deinem Blick war immer etwas, das mich bloßlegte und nur dich suchte. Ganz tief in mir drinnen – aber wohl auch in dir – tat genau das schrecklich weh. Damals aber lallte ich nur unwissend meine ersten Laute.

Äußerlich so verschieden und doch ganz gleich zu sein, widersprach wirklich aller menschlicher Erfahrung. Das ließ dich immer auf der Hut sein, machte dich so hart. Denn es braucht Neugier und Unvoreingenommenheit, um einen Menschen wirklich und ohne Hintergedanken lieben zu können.

Du hattest dir mit dieser Klon-Tochter einen gläsernen Menschen geschaffen: von Anfang an durchschaubar, erklärbar, rätselfrei. Nicht irgendein Leben hattest du mir geschenkt, sondern *dein* Leben. Deine/meine Gene sollten sich optimal entfalten. Die Aufzucht nach Programm musste planvoll erfolgen, behutsam, aber konsequent und natürlich mit der besten Absicht, keinen Fehler in deiner Erziehung zu wiederholen. Welche Lebenschance! Welche Vermessenheit! Doch diesen Triumph, sich noch einmal erschaffen zu haben, begleitete von Anfang an ein leicht schales Gefühl.

Als die Tochter drei Monate alt war, fand Iris nach längerer Suche die ideale Kinderfrau. Sie hieß Daniela Hausmann, war Ende dreißig, frisch geschieden und Musikpädagogin. Sie war eine kräftige, zupackende Frau, die Vertrauen ausstrahlte. Um ihren Unterhalt aufzubessern, wollte sie wieder arbeiten, denn ihr viereinhalb Jahre alter Sohn Janeck kam endlich in den Kindergarten.

Der Arbeitsvertrag, den Frau Hausmann nach einigen Gesprächen unterschrieben hatte, verpflichtete sie ausdrücklich, Siri Sellin musikalisch zu fördern. Und dafür war sie so gut geeignet, dass Iris sogar den Sohn in Kauf nahm, den die Kinderfrau – darauf hatte sie bestanden – jederzeit mitbringen durfte.

Als Janeck zum ersten Mal mit einem Holzschild und einem hölzernen Schwert bewaffnet vor Iris gestanden und „Geld oder Leben!“ gerufen hatte, war eine tiefe Abneigung zwischen ihnen entstanden. Aufmüpfig und rotzfrech hatte der blonde, spindelige Junge Iris angeschaut. Und Iris selbst war überrascht, wie viel Widerwillen Janeck in ihr ausgelöst hatte. Doch dann erinnerte sie sich daran, wie sehnsüchtig sie sich als Kind einen großen, starken Bruder gewünscht hatte. Und was sie damals gewollt hatte, konnte auch für Siri nicht falsch sein. Warum also sollte sie dem Kind nicht schon vorab diesen Wunsch erfüllen? Und wenn sie Daniela Hausmann wollte, gehörte Janeck nun mal dazu. Iris Sellin ahnte nicht, wie lebenswichtig der Junge einmal für ihre Tochter sein sollte.

Nun hatte Iris mehr Zeit für ihre Klavierübungen und bald meisterte sie wieder die breiten und die schwierigen Um- und Übergriffe. Sie schrieb das Stück „Tautropfen", für Klavier und Klarinette ins Reine und arbeitete das Orchesterstück „Anna Perenna" aus, das sie ihrer Tochter widmen wollte. Als Siri zu krabbeln anfing, wurden beide Werke in München uraufgeführt.

Die Musikkritiker beschrieben die „Tautropfen", die Iris damals selbst spielte, als „feines Klanggespinst", durch das die Zuhörer in einen schönen Park, einen poetischen Raum hineingeführt würden. Doch wie bei einem Blick durch das Kaleidoskop zerspringe dann alles in tausend Facetten. In einem Interview erklärte die Komponistin: „Ich bemühe mich nur, das Leben in den Tönen zu fassen."

Iris Sellin arbeitete viel. Schließlich saß ihr die Krankheit im Nacken. Sie wusste, dass die MS nur heimtückisch vor sich hin schlummerte, deshalb hatte sie auch kein schlechtes Gewissen, wenn sie von Siri getrennt war. Sie wusste um das starke Zwillingsband, das nie zerreißen konnte. Denn sobald Iris und Siri sich wiedersahen, sich rochen und fühlten, war da zwischen ihnen diese Übereinstimmung und Nähe, die kein Einling versteht, aber von der alle eineiigen Zwillinge berichten. Nie hatte Iris das Gefühl, etwas zu verpassen, wenn sie sich von Siri entfernte. Wann immer sie zurückkam und die Tochter in die Arme nahm, waren sie sich ganz nah.

Diese zwei Extreme, der kühle Blick auf den Klon und das innigste Einssein mit dem Zwilling, zerren an einem Menschen. Sie hielten dich und mich ein Leben lang in Anspannung. Und es ist genau diese Zerrissenheit, die ich bis heute fühle, die mich, den Klon, entzweit.

Vielleicht konnte ich das nur aushalten, weil es Dada gab – so nannte ich meine Kinderfrau. Und aus Janeck, der mich gerne als seine „kleine Schwester" bezeichnete, machte ich Janne. Ich mochte beide sehr und liebte sie als meine Familie, die immer für mich da war. Aber nur mit dir, Iris, fühlte ich mich total im Einklang.

Du hast mir einmal erklärt, was das ist, ein Einklang: Es ist dieselbe Note, nur eine Oktave höher. Und zusammen haben wir gesungen: c^1 und c^2, es^1 und es^2.

Ich müsste wirklich lügen, wenn ich behauptete, ich sei ein unglückliches Kind gewesen. Der zukünftige Iris-Ersatz gedieh von Anfang an prächtig, denn ich und du und Dada funktionierten perfekt. Alles hattest du in dieser Versuchsanordnung bedacht.

Siri lernte Sprechen und Laufen wie jedes andere Kind, entwickelte sich ohne Auffälligkeiten. Kaum konnte sie stehen, zog sie sich in ihrem Kinderzimmer schon an dem Klavier mit den geschnitzten Beinen und den Messingleuchtern hoch. Das Instrument war von Anfang an ihr liebstes Spielzeug und sobald sie die Tasten erreichen konnte, klimperte sie darauf herum. Für ein Lied, das Dada ihr vorspielte oder vorsang, ließ sie alles andere liegen und stehen.

Siri ging nicht wie Janne in den Kindergarten. Ihre Zeit war ausgefüllt mit Musikstunden von Iris und Dada und speziellen Musiklehrern der Hochschule. Spielend lernte sie alle Tonleitern und las Noten, bevor sie einen Buchstaben schreiben konnte. Mit vier Jahren übte Siri stundenlang freiwillig am Klavier. Jede neue Melodie, die sie hörte, versuchte sie auf dem Klavier nachzuspielen. Sie hatte das absolute Gehör ihrer Mutter geerbt.

Musik war nun auch für Siri lebensnotwendig geworden. Stille ertrug sie kaum, dann wurde sie unruhig. Wenn sie überdreht war, blieben die „Tautropfen" das beste Mittel. Dann legte sie sich unter den schwarzen Konzertflügel und Dada oder Iris spielten das Stück so lange, bis Siri zufrieden wieder hervorkroch.

Sie verbrachte mehr Zeit mit Dada und Janeck als mit ihrer Mutter, die oft unterwegs war. Trotzdem war ihr erstes gesprochenes Wort Mama gewesen. Und wenn Iris zu Hause war, saß das kleine Mädchen am liebsten auf ihrem Schoß vor dem schwarzen Flügel. Rechts und links von ihr zauberten dann Iris' Hände die schönsten Melodien nur für sie. Dann schnupperten sie aneinander wie Tiere und fühlten nicht mehr, wo die eine aufhörte und die andere anfing. So eins zu sein, so ein Einklang, war dann wirkliches Glück.

Du warst der Stamm, Iris, und ich dein frühlingsgrüner Spross oder Schössling. Genau das bedeutet der aus dem Griechischen kommende Ausdruck Klon. Alle erbgleichen Nachkommen, die durch eine ungeschlechtliche Vermehrung entstanden sind, hießen zunächst so, zum Beispiel die Stecklinge von Pflanzen oder auch Einzeller, die sich teilen. Später übernahm man die Bezeichnung auch für alle künstlich hergestellten Mehrlinge, die Zwillinge, Drillinge oder Vierlinge von Tieren und Säugetieren. Und schließlich wurden Menschen mit denselben Erbinformationen, Wesen wie du und ich, ebenfalls so genannt.

Klon heißt auch Zweig, und Zweige brechen leicht, wenn sie gerade erst wachsen und noch so dünn und wenig widerstandsfähig sind und wenn man ihnen zuviel auflädt und sie zu früh ihrem Schicksal überlässt. Ich war damals noch sehr klein.

Nie warst du da, wann *ich* es wollte. Deshalb frage ich dich heute, tote Mutter-Schwester: Wo warst du, als ich mit Janne und Dada lebte und langsam größer wurde? Einmal, als du eine Tournee gemacht hast, soll ich dich sogar in dem schwarzen Konzertflügel gesucht haben.

Nach deinen Reisen fielst du dann so schrecklich unverhofft und plötzlich in mein kleines Kinderleben ein, dass mir ganz schwindelig wurde. Du bestimmtest allein, wann du erscheinen wolltest. Aus glänzenden, steifen Stoffen waren deine Konzertroben gemacht, sie raschelten bei deinen Auftritten. Es ist dieses Geräusch, das mich am stärksten an unser Zusammenleben erinnert.

Verdutzt schaute ich auf, wenn du in unsere Wohnung hereingerauscht kamst. Genauso habe ich dich später auf unzählige Bühnen treten sehen und jedes Mal hat mich das an deine Auftritte zu Hause erinnert und mich beklommen gemacht. Ich war das willige, dankbare Publikum, und du, Iris, hast gekonnt Theater gespielt.

Manchmal war ich einfach überrascht, dass es dich wirklich

noch gab. Meine Mutter war also kein Wort, keine Geschichte, keine Traumgestalt, sie stand tatsächlich vor mir.

Einmal, nach einem Konzert, hattest du ein langes Kleid an und das war genauso blau wie mein allerliebstes Lieblingskleid. Eigentlich hatte ich ja böse sein wollen, weil du so lange weg gewesen warst, aber es ging nicht. Ich konnte dir nie böse sein und rannte dir entgegen. Weil wir im Einklang waren? Oder getrieben von Zwang?

Janeck jedenfalls ärgerte sich immer darüber, dass du nur auftauchen musstest und schon wollte ich nur noch mit dir zusammen sein. Dann fühlte er sich abgeschoben und war eifersüchtig auf die mit dem „Ich-bin-die-große-Pianistin-Getue". Janeck liebte solche Wortschöpfungen. Ich sei eine „Ewig-am-Klavier-Rumhängerin" sagte er, aber zum Glück hätte ich ja meinen „Kletter-auf-die Bäume-Bruder".

Iris blieb nie lange, auch das hatte er schnell gelernt. Sie konnte ihm die kleine Schwester nicht wegnehmen.

Auch dieses Mal wird sie dich nicht mitnehmen, hat er auf Iris' Beerdigung zu mir gesagt. Ich hoffe es, großer Janne. Aber ich fühle mich so jämmerlich klein und elendig. Deshalb liege ich manchmal wieder unter dem großen Flügel. Ich muss mich verstecken.

Mein Versteck liegt auf der Zwillingsinsel, fern von der Einlingswelt, in die ich mich noch nicht wieder hinauswage. Ich liege da mit angezogenen Beinen und zittere. Aber sie klettern an den Beinen des Klaviers herunter. Sie wollen mich holen, die Einlinge. Immer haben sie nach uns gegiert.

Schon im Jahr eins hatte Mortimer G. Fisher seinen Fachartikel *„Cloning and Pathogenese of Human Oocytes“** veröffentlicht. Darin hatte er über die erste gelungene Klonierung einer erwachsenen Frau nach der neuen Fisher'schen Schaltermethode berichtet. Die Veröffentlichung war mit den mikroskopischen Fotos des Zellkerntausches bebildert gewesen, es folgten die Monitorbilder des zwei-, vier- und achtzelligen Klons, dann die ersten Ultraschallbilder des eingenisteten Fötus. Die Namen von Mutter und Tochter waren genannt worden, Iris Sellin hatte dem, wie versprochen, zugestimmt.

Nicht nur in der Fachwelt hatte der Artikel für viel Aufregung gesorgt, alle Medien hatten über diese „Revolution in der menschlichen Fortpflanzung“ berichtet und Fisher als „Pionier der echten Einelternfamilie“ gefeiert. Iris hatte mit der kleinen Tochter vor ihrem Konzertflügel für die vielen Fotografen posiert. „Wie eine Madonna, bitte!“, hatte ein Fotograf ihr zugerufen.

Es kam genauso, wie Iris Sellin und Mortimer G. Fisher vermutet hatten: Einige Zeit gab es erregte öffentliche Debatten, Schreie nach neuen ethischen Richtlinien verhallten jedoch ungehört. Auch einen lächerlichen Versuch, Fisher anzuklagen, weil er noch geltende Ethik-Konventionen verletzt habe, hatte ein Ewiggestriger gestartet. Doch nicht nur Iris Sellin hatte Fisher verteidigt, in mehreren deutschen und europäischen Städten gingen Menschen auf die Straße und demonstrierten für „volle biologische Autonomie“ und „Selbstbestimmung bei der Fortpflanzung“. Fisher selbst hatte auch einige typische Anfra-

* „Klonierung und Jungfernzeugung menschlicher Eizellen“. Zum wissenschaftlichen Hintergrund s. S. 185ff.

gen veröffentlicht, die in seiner Montrealer Klinik, dem *Repro*, eingegangen waren, um so den Klon-Bedarf zu untermauern:

Ein millionenschwerer Unternehmer von Mitte fünfzig und Junggeselle will einen Klon-Sohn in Auftrag geben, um ihm später sein Imperium vererben zu können. Das Kind soll von einer Leihmutter ausgetragen werden.

Eine Sängerin hat ihre einzige Tochter vor zwei Jahren bei einem Autounfall verloren. Die Ehe der Künstlerin hat dieses tragische Ereignis nicht verkraftet. Inzwischen ist die Sängerin Anfang vierzig und geschieden. Sie will nicht auf einen neuen Lebenspartner und zukünftigen Vater warten und wünscht sich schnellstens eine Klon-Tochter, bevor sie in die Wechseljahre kommt und es zu spät ist für eine eigene Schwangerschaft.

Ein lesbisches Paar wünscht sich schon seit langem sehnlichst ein Kind, doch über den Weg dahin haben sie sich noch nicht einigen können. Die Jüngere lehnt es entschieden ab, Samenbank-Sperma von einem Spender zu benutzen. Das verrate nicht nur die lesbische Sache, sagt sie, sondern sei auch ungut für das Kind. Für beide ist das Klon-Kind, diese zeitgemäße Jungfernzeugung, eine phantastische, lang ersehnte Möglichkeit. Endlich könne eine lesbische Mutterschaft ohne faule Kompromisse mit dem männlichen Geschlecht verwirklicht werden.

Ein Mann, dessen Frau unheilbar an Krebs erkrankt ist, will seine Frau noch vor ihrem Tode klonen und von einer Leihmutter austragen lassen, damit sie später durch die Tochter noch einmal neu lebe.

Eltern wollen schnellstens den Klon ihres vierjährigen Sohnes erzeugen lassen, der nach einem Verkehrsunfall mit schwersten Schädel-Hirn-Verletzungen im Koma liegt und sehr wahrscheinlich sterben muss.

Außerdem fragt ein Elternpaar an, ob es möglich sei, einen Klon der neugeborenen Tochter zu erzeugen und als Reserve-Embryo einzufrieren. Aus diesem Rohstoff können im Bedarfsfall Haut oder andere Organe für das Original gezüchtet werden.

Die Gesellschaft unterschied sehr bald die Medi-Klone, die, wie im letzten Fall, aus rein medizinischem Kalkül erzeugt wurden, und die mehr psychologisch motivierten Ego-Klone, von denen Siri Sellin einer der ersten war.

Von alldem wusste ich natürlich nichts, als ich durch meine Kinderwelt tapperte, die so wohl geregelt war und mir in allem entsprach. Doch wusste ich überhaupt – das frage ich mich heute -, dass es mich gab? Ich meine, mich als einzelne Person? Oder können Klone sich noch nicht einmal mit den Schimpansen messen, die den berühmten „Ich bin Ich"- Spiegeltest bestehen?

Im Gegensatz zu allen anderen Lebewesen auf dieser Erde erkennen sich etwa ab eineinhalb Jahren nur Menschen und ihre Vorfahren, die Menschenaffen, in einem Spiegel. Setzt man ihnen unbemerkt einen Farbklecks ins Gesicht und legt ihnen einen Spiegel vor, versuchen sowohl Affe als auch Menschenkind den bunten Fleck wegzuwischen. Das sei der Beweis für Selbst-Bewusstsein, sagt die Psychologie, der Beginn des Ich-Gefühls, der Anfang einer Person.

Ich hatte von Anfang an sicher nur ein Uns-Bewusstsein, ein Wir-Gefühl. Ich dachte und lebte nie ohne Iris. Wie beim Ichdu-Spiel, unserem ersten großen Zwillingsgeheimnis. Dieses Spiel ist wie meine Kindheit gewesen: Undurchschaubar und etwas merkwürdig. Innig und beengend. Friedlich und vergewaltigend. Gefühlvoll und dabei doch so verdammt kalkuliert. Ein Doppelspiel eben!

Vor dem großen Spiegel in der Diele standen Iris und Siri ganz dicht nebeneinander und hielten sich an den Händen. Zuerst betrachtete sich jede selbst im Spiegel. Iris' Augen tasteten ihre hohe Stirn ab, die unauffällige Nase, die linke, leicht unregelmäßige Braue, das forsche Kinn, die graublauen Augen. Gleichzeitig lächelte Siri in ihr Kindergesicht. Dann kreuzten sie die Blicke und suchten in dem Spiegelbild der anderen die graublauen Augen.

„Siehst du zwei oder vier Augen?", fragte Iris.

„Nur zwei", antwortete Siri.

„Jetzt bist du ich und ich bin du."

„Ichdu", lachte das Kind, „duich."

„So wie ich wirst du auch einmal aussehen, wenn du groß bist. Und dann bist *du* die berühmte Pianistin", sagte die Mutter.

„Ich werde noch größer und viel berühmter!", rief Siri stolz und fragte plötzlich ängstlich: „Bist du dann schon tot?"

„Nein, nein", warf Iris ein. „Die meisten Menschen werden siebzig oder sogar achtzig Jahre alt. Bis dahin ist noch viel Zeit."

„Warum werden Menschen nicht dreihundert Jahre alt wie die Schildkröten?"

„Das ist eben so. Bei allen Lebewesen ist die Lebenszeit festgelegt“, erklärte Iris. „Die Gene steuern auch unsere Lebensuhr.“

„Ich will nicht, dass du stirbst. Du sollst nie sterben!“, flehte Siri.

Iris nahm sie in den Arm und sagte: „Weil es dich gibt, sterbe ich nie. Denn ich bin du und du bist ich.“

Obwohl es Ichdu noch gibt, ist Duich gestorben. Genau vor zwei Wochen und einem Tag ist sie weggegangen. Aber was kann eine Ichdu allein schon ausrichten? Ich stehe oft vor dem Spiegel im Flur, seit Iris tot ist, finde aber niemanden. Ich bin ohne Selbst-Bewusstsein und war es immer. Und genau das war die beste Voraussetzung für eine Pianistinnen-Dressur.

Das sei bei mir wie von selbst gekommen, diese Liebe zur Musik. „Kunst kommt nicht von Können, sondern von Müssen“, hat Iris immer wieder gesagt. Es stimmt, ich musste spielen. Diese schwarzen und weißen Tasten zogen mich magisch an.

Oder vielleicht war es auch ganz anders gewesen und Iris und Dada hatten mich ans Klavier gezerrt. Natürlich nicht mit brutaler Gewalt, sondern mit vorgetäuschter Liebe.

Ihr habt mich von Anfang an abgerichtet, sage ich heute.

„Ich will Pianistin werden, ich will Pianistin werden!“ Seit ich sprechen konnte, plapperte ich diesen Satz nach wie ein dressierter Papagei. Und am Klavier saß ich wie ein abgerichteter Affe.

Dem würde Iris leidenschaftlich widersprechen, wenn sie nicht für immer stumm wäre. Die Stimme des Blutes, die musikalischen Gene hätten diese Töne angeschlagen, höre ich sie sagen, ihre Begabung hätte ich geerbt. Und dann gibt sie auch noch offen zu: „Das war doch ich, die aus dir sprach. Wir sind doch eins." Endlich hat sie begriffen! Es war von Anfang an immer nur sie, die aus mir sprach.

Am Anfang war IHR Wort.

„Warum habe ich keinen richtigen Vater, so wie Janne?", fragte Siri mit vier Jahren.

Schon wieder dieser Janeck, ärgerte sich Iris. „Ich habe keinen Mann gebraucht, um dich zu bekommen", antwortete sie bestimmt. „Ein Arzt hat mir geholfen. Er hat ein Ei aus meinem Bauch herausgenommen und es zum Leben erweckt. Und daraus bist du geworden."

„War ich nicht in deinem Bauch?"

„Doch, natürlich warst du in meinem Bauch. Der Arzt hat das lebendige Ei in meinen Bauch zurückgepflanzt, und dort bist du herangewachsen wie jedes andere Kind auch, neun schöne Monate lang. Ich habe dich Kehinde gerufen, als ich mit dir schwanger ging."

Iris erzählte der Kleinen, woher der geheimnisvolle Name Kehinde kam, der schön wie Musik klang.

Ich bin dir immer gefolgt. Nicht einmal Janeck habe ich gesagt, dass ich eine Kehinde war. Ich behielt es ganz für mich, sonst hätte mein großer Bruder mich wieder durcheinander gebracht mit seinem „Das geht doch nicht" und „Die spinnt doch".

Ich habe schnell begriffen, dass ich besser den Mund hielt und mich heimlich über diese besondere Mama freute. Sie war einfach schön und sie war alles für mich, Mutter, Vater und Schwester, Zauberin und Komponistin, und sie hatte mich doppelt, vierfach, achtfach lieb. Ja, ich war sehr folgsam und hing in den von dir gesponnenen Wortnetzen fest.

Doch schon in dieser Zeit des Einklangs gab es einen ersten scharfen Misston, der unsere Innigkeit störte. Die Erinnerung daran kann ich jederzeit abrufen und betrachten wie eine gestochen scharfe Fotografie. An jedes Detail, jedes gesprochene Wort erinnere ich mich bis heute.

Siri war fünf Jahre alt, als sie Oma Katharina während einem ihrer Besuche ein Stück auf dem Klavier vorspielte.

Seit Iris ihrer Mutter genau erklärt hatte, warum Siri keinen Vater hatte, wusste Katharina Sellin nicht, ob sie das gut oder schlecht finden sollte. Dass Iris diese neue Klon-Methode als eine der Ersten ausprobieren musste, sah ihr mal wieder ähnlich. Immer wollte sie anders sein, sich über die anderen stellen.

Anfangs hatte Katharina Sellin tatsächlich nur Angst, ob das Kind auch wirklich ganz gesund und normal sein würde. Die heranwachsende Siri zerstreute diese Ängste. Doch der Argwohn in Katharinas Blick verschwand nie ganz. Die seltenen Besuche bei der Tochter wurden noch weniger und sie schlief immer in einem Hotel in der Nähe. Wenn sie an Ostern, Weihnachten oder einem Geburtstag in Lübeck anreiste, wich Siri den Augen ihrer Oma ganz instinktiv aus. Die beiden hatten sich nie gemocht.

Was habe ich eigentlich?, fragte sich die alte Frau oft. Warum kann ich sie nicht wie jede andere Oma einfach lieb haben. Es war doch unwichtig, wie und warum Siri auf der Welt ist. Sie ist da und gesund und munter.

Die Kleine erinnerte Katharina Sellin natürlich an „ihre“ Iris, als sie noch ein Kind war. Doch solche äußerlichen Übereinstimmungen gab es schließlich in vielen Familien. Und wenn Iris und Siri sich noch etwas ähnlicher waren, warum sich darüber aufregen? So hatte sich Katharina Sellin zu beruhigen versucht.

Aber als sie nun Siri am Klavier sitzen sah, in derselben Haltung wie Iris vor dreißig Jahren, und als sie hörte, dass Siri dieselbe Bachfuge spielte, die immer auch das Lieblingsstück ihrer Tochter gewesen war – da begriff sie zum allerersten Mal, dass es diese Tochter tatsächlich zwei Mal gab: Die fünfjährige Iris spielte Klavier und saß als erwachsene Frau von sechsunddreißig Jahren neben ihr.

Wenn die beiden ein und dieselbe Person waren, dann war sie doch auch die Mutter der beiden, und ihr toter Mann war der Vater nicht nur von Iris, sondern auch von Siri. Der Vater einer Tochter, die nach seinem Tod geboren worden war! Diese Gedanken machten Katharina Sellin schwindeln.

Das Kind am Klavier spielte nicht nur mindestens so gut wie Iris in diesem Alter, sondern fast besser. Katharina Sellin drückte die Hände auf den Mund, als wollte sie einen Schrei ersticken. Mühsam beherrschte sie sich. Trotzdem merkte Siri, dass etwas Ungewohntes mit der Oma passierte, weil diese plötzlich so laut schnaufte, sich erst an den Mund und dann an den Hals griff. Sie schauten sich an, ganz kurz, und Siri erschrak, wie feindselig die Augen ihrer Oma funkelten.

„Monster“, zischte Katharina Sellin, dann hatte sie sich wieder fest im Griff.

Bestürzt warf Iris einen schnellen Blick zum Flügel, doch Siri schaute schon wieder auf ihre Hände und spielte ungerührt weiter.

„Hast du mich oder sie gemeint, als du Monster gesagt hast?“, fragte Iris, als Siri endlich schlief und sie am späten Abend mit ihrer Mutter allein war.

Doch die Fünfjährige war schon bald aus einem unruhigen Schlaf aufgeschreckt und aus dem Bett geklettert. Als sie die Tür zum Gang geöffnet und die beiden Stimmen im Arbeitszimmer gehört hatte, war sie auf Zehenspitzen näher geschlichen. Ängstlich stand sie nun an der Tür und lauschte, denn Iris' Frage nach dem Monster hatte sie genau gehört.

„Euch beide!“ Die Stimme Oma Katharinas klang angewidert. Dem Mädchen hinter der Tür zog sich der Bauch zusammen.

„Das musst du mir schon etwas genauer erklären“, forderte Iris.

„Du hast mir alles genommen“, sagte Katharina. „Du hast nicht nur an meiner Stelle Karriere gemacht, nun zerstörst du auch noch meine Erinnerung an die kleine Iris, die mir ganz alleine gehört hat, nur mir.“

„Ich habe dir nie gehört!“, warf Iris ein.

„Dieser verdammte Klon entwertet alles, was mir wichtig gewesen ist, mein ganzes Leben, und das ist allein dein Werk.“ Katharinas Stimme zitterte. „Deshalb werde ich Siri niemals lieben können und manchmal hasse ich sogar dich, dass du mir das angetan hast.“ Dann fügte sie noch hinzu: „Auch du wirst es noch bitter bereuen. Sie wird dich zerstören und nicht retten. Vielleicht wird sie sogar die bessere Klavierspielerin sein. Auf jeden Fall ist sie noch herzloser, ich habe sie durchschaut. Schließlich bin auch ich ihre Mutter. Hast du dir das schon einmal überlegt, Iris?“

Ein Schreck durchzuckte das Kind, das jedes Wort hörte, aber nichts mehr verstand. Wieso sollte diese Oma, die sie nie gemocht hatte, plötzlich ihre Mutter sein?

Iris lachte hart auf. „Mein Gott, Mutter, was sollen diese Verwünschungen? Du warst doch sonst nie so leicht zu treffen. Seit Siri auf der Welt ist, heilt sie mich. Aber du hast mich schon immer krank gemacht mit deinem Neid, deinem Ehrgeiz und deiner Missgunst. Nur ich bin Siris Mutter, du niemals!"

„Alles, was du bist – vergiss das nicht –, verdankst du mir, mir allein ..."

Iris fiel ihr ins Wort: „Bitte nicht schon wieder!"

„Dann gehe ich wohl besser", sagte Katharina Sellin und stand auf.

Siri, verwirrt und ängstlich hinter der Tür, huschte schnell zurück in ihr Bett. Sie hörte, wie die Haustür ins Schloss fiel und der Schlüssel zweimal umgedreht wurde. Sie stellte sich schlafend, als Iris in das Kinderzimmer kam und sich neben sie ins Bett legte.

Als Iris den Rücken des Kindes an ihrem Bauch fühlte, beruhigte sie sich. Auch Siris Atemzüge wurden nun regelmäßiger und immer leiser, sie war friedlich eingeschlafen. In Iris' Nähe war das üble Bauchgefühl schnell verflogen.

Am nächsten Tag fragte Siri: „Was ist ein Monster? Warum hat Oma das zu mir gesagt?"

„Das hast du falsch verstanden, sie hat monumental gesagt, monumental gut, weil du den Bach so schön und ausdrucksstark gespielt hast", antwortete Iris.

Siri schaute ihre Mutter an und sagte nichts mehr.

Gute Feen und Zauberinnen lügen nie, das hatte mir Dada

erzählt. Und weil ich ganz sicher war, dass Oma mich ein Monster genannt hatte, hast du dich selbst entzaubert. Bis dahin hatte ich immer nur ein ganz schönes Bild von dir in mir getragen, du meine Tönezauberin. Und wenn du weg warst, musste ich nur an dich denken und die Augen schließen. Dann erschien immer dieses Flimmerbild, auf dem du ausgesehen hast wie die Zauberin aus meinem Märchenbuch, die den blau-goldenen Sternenmantel trug. Aber nun warst du keine Zauberin mehr, weil du mich angelogen hattest. Wenn ich von nun an an dich dachte, warst du einfach nur Iris.

Natürlich habe ich Janeck gefragt, was eigentlich ein Monster sei. Er hat UÄHHHHH! geschrien und Grimassen gezogen, bis ich lachen musste. Wir haben seine Horror-Plastikfiguren-Sammlung betrachtet und Frankenstein und Vampir gespielt. Ich machte Janne alles nach und übte den Monsterschrei, bis ich kaum noch Luft bekam und er lachend zugab, dass ich den allerschrecklichsten Schrei zustande brächte, den er je gehört habe.

Ich kann diesen Schreckensschrei noch immer. Hört ihr mich da draußen, ihr Einlinge? Ich bin kein Vampir, keine Untote, die nicht sterben kann. Stoßt mir den Pfahl nicht ins Herz!, bettelt das Monster am Klavier. Ich bin nur eine Unlebende, ein Klon, der nicht allein leben kann. Als ich noch klein war, hat mich eine Lügenfee verwünscht. Ihr böser Fluch hieß: Du bist mein Leben. Sie bannte mich, als ich sechs Jahre alt war. Seitdem verfolgt mich dieser Fluch.

Nach einem Konzert im Frühjahr des siebten Jahres versagten Iris' Beine zum ersten Mal. Sie hatte geschwankt, als sie von der Bühne abging, dann war sie auf der Theatertreppe gestolpert und hingefallen. Einen Tag später konnte sie nicht mehr richtig gehen und fast gelähmt wurde sie in die Klinik eingewiesen. Sie bekam Cortison-Infusionen, um den ersten wirklich schweren MS-Schub nach Siris Geburt einzudämmen. Nach einer Woche wurde sie entlassen, sie war auf dem Weg der Besserung.

„In ein paar Tagen können Sie wieder laufen, wenn auch vielleicht nicht ganz so sicher wie zuvor", sagte ihr Arzt. „Sie haben großes Glück, Frau Sellin, dass Sie fast sechs Jahre Ruhe hatten."

„Habe ich jetzt kein Glück mehr?", fragte Iris.

„Das weiß ich nicht, aber erwarten Sie keine Wunder", riet er ihr. „Schonen Sie sich bitte einige Zeit."

Zu Hause saß Siri am Klavier und suchte mit konzentriertem Gesicht nach den richtigen Tönen. Das Kind hatte schreckliche Angst, denn seine Mutter war so krank gewesen, dass sie kaum noch gehen konnte. Es hatte zum ersten Mal erlebt, dass auch Iris verwundbar und sterblich war.

Siri schaute zur Mutter, die mit unglücklichem Gesicht auf dem Sofa lag. Fast verbissen suchte Siri eine Melodie. Sie brauchte nur die richtige zu finden, dann würde ihre Mutter wieder lachen und ganz gesund sein.

Sie komponierte ein kleines Lied. „Das ist für dich", sagte sie ernsthaft.

Immer und immer wieder spielte sie das Stück für Iris. Und tatsächlich lächelte die Mutter! Sie stand auf – ganz gerade stand sie da – und dann kam sie zu ihr und legte ihre Hände auf Siris Schultern. „Das hat mir gut gefallen, was du gerade gespielt hast", lobte sie.

„Ich mache dich mit der Musik gesund", versprach das Kind.

„Wenn du spielst, kann mir nichts passieren. Das ist gut. Du bist mein Leben."

„Ich bin dein Leben." Mit ernster Miene wiederholte Siri diese vier Worte.

Stolz war ich, als du mir sagtest: Du bist mein Leben. Diesen Satz habe ich bis heute nicht vergessen können. Damals lächelte ich mir manchmal eitel im Spiegel zu, weil ich glaubte, von nun an mit Tönen zaubern zu können, genau wie du. Wir waren uns tatsächlich schon sehr früh sehr ähnlich. Denn auch du, Iris, warst mein Leben.

Der schwere Krankheitsschub veränderte Iris Sellin. Er hatte die Musikerin aus der falschen Sicherheit gerissen, in der sie sich so lange gewiegt hatte. Als sie zu Hause lag und sich erholte, war sie plötzlich eifersüchtig auf Daniela Hausmann. Sie erlebte die alltägliche, selbstverständliche Vertrautheit zwischen ihr und Siri, und das erinnerte Iris an die Zeit, als sie ihre Tochter in den Armen gehalten und sich in dem Babygesicht fast vergessen hatte. Warum konnte es nicht wieder so sein? Doch Siri war kein Baby mehr und Iris' Leben war vielleicht bald zu Ende. Sie musste sich beeilen und ihrer Tochter noch alles beibringen, was sie ihr zu geben hatte. Wir haben keine Zeit mehr, Unnützes zu tun, dachte sie, als sie Janeck mit ihrer Tochter wegrennen sah und nicht wusste, wohin die beiden gingen.

Niemand kannte das Geheimnis von Janeck und mir. Mein großer Bruder hatte herausgefunden, wie er unentdeckt in die alten Gewölbe von St. Petri, der gotischen Kirche mitten auf der Altstadtinsel, hineingelangen konnte. Und als ich sechs Jahre alt war, nahm er mich zum ersten Mal dorthin mit. Immer, wenn in dem großen, hellen Kirchenschiff eine Veranstaltung vorbereitet wurde – und das kam oft vor –, war eine Seitentür an der Südseite nicht abgeschlossen, die durch einen kleinen Vorraum ins Kirchenschiff führte. Dort gab es – uneinsehbar vom Kirchenraum – die schmale Tür zum Kirchturm, und den Schlüssel dafür hatte der Hausmeister hinter einem kleinen Elektrokasten in der gegenüberliegenden Ecke hängen. Blitzschnell griff sich Janne den Schlüssel, schloss die Turmtür auf und legte den Schlüssel an seinen Platz zurück, bevor wir in den Turm schlüpften.

Erst nachdem wir die Tür leise hinter uns geschlossen hatten, machte Janne Licht. Ich nahm all meinen Mut zusammen und schaute die Wendeltreppe hinauf, die sich nach oben ins Dunkle schraubte. Hintereinander stiegen wir in die Höhe, vorbei an den modrig riechenden, engen Wänden. Ganz fest hielt ich mich an dem speckigen Seil.

Unter dem hoch aufragenden Dachgestühl war es trotz der Lampen und der kleinen Dachluken recht düster. In diesem Zwielicht fühlten wir uns wie auf einem anderen Planeten. Geheimnisvoll war es dort: Die rund gemauerten Enden der gotischen Gewölbe verwandelten sich in steinerne Iglus, in denen Unbekannte hausten. Manchmal sahen die massigen Hügel auch aus wie die Rücken schlafender Tiere aus der Urzeit, die wir besser nicht wecken sollten. Zwischen den grauen Erhebungen lief kreuz und quer ein aus Brettern gezimmerter Steg. Wenn wir ihn betraten, vibrierten die Bretter ein wenig. Janne sagte dann: „Jetzt spielen wir Expedition."

An einer Stelle ließ sich der Endstein eines dieser Gewölbe herausnehmen. Dort legten wir uns ganz flach auf den Bauch und blickten durch die runde Öffnung nach unten ins Kirchenschiff. Der Boden lag so tief unter mir, dass es mir überall im Bauch kribbelte, und die Menschen waren so klein, dass ich meinte, von einer Wolke auf sie herabzuschauen.

Eines Tages rutschte ich beim eiligen Abstieg auf der Wendeltreppe aus und kam mit schlimmen Beulen und Schürfwunden an den Händen und im Gesicht nach Hause. Iris tobte und wollte wissen, was wir angestellt hätten. Janeck nahm alle Schuld auf sich, aber er erzählte ihr nur vom Kirchturm und der Wendeltreppe, verschwieg jedoch die Geheimtür und dass wir allein ganz oben unter dem Dach gewesen waren. Voller Wut gab Iris ihm eine Ohrfeige, und mich schrie sie an, nie wieder dürfe ich mit diesem schrecklichen Jungen losziehen. Wenn ich mir nun die Beine oder gar die Hände gebrochen hätte? Aus der Pianistinnentraum! Selbst tot hätte ich sein können!

Deine Krankheit hatte dich wieder an den Grund erinnert, warum ich überhaupt auf der Welt war. Dieser Gedanke verstärkte den Druck auf dich und du verstärktest den Druck auf mich. Das Erziehungsprogramm *Iris two* wurde gnadenlos abgespult, ein abenteuerlustiges Mädchen hatte darin keinen Platz.

Wahrscheinlich, Iris, hätte ich dir damals doch von unserem Geheimnis erzählen sollen, dann hättest du mich vielleicht sogar verstanden. Denn da Janne und ich Macht über diesen geheimnisvollen Ort besaßen, war für uns oben im St. Petri-Gewölbe der allerbeste Wünscheort der Welt entstanden. Wir hatten eine Schnur in der hintersten Ecke an einen Nagel gebunden und daran unsere zusammengerollten Wunschzettel gehängt, manchmal steckten wir die Zettel auch in Mauerritzen. An dem Tag, als ich auf der Wendeltreppe gestürzt war, hatte ich auf ein Stück des durchsichtigen Papiers, auf das du deine Noten schriebst, mit einem goldenen Malstift und in meinen allerersten, noch unbeholfenen Kinderbuchstaben gekritzelt: „Ich will Pianistin werden." Vielleicht hätte dich das milder gestimmt, Iris, aber ich wagte nicht, dir das zu erzählen.

Vielleicht hättest du die Tür aber auch für immer zumauern lassen: Weil *du* doch die Göttin warst. Nur *deine* Wünsche sollten in Erfüllung gehen und nicht meine.

Zum siebten Geburtstag hatte Iris ihrer Tochter eine ganz besondere Überraschung versprochen. Es erwarte sie jemand im Musikzimmer, sagte sie am Morgen, als die Lichter auf dem Geburtstagstisch brannten. Geheimnisvoll klang das, und voller Erwartung betrat Siri den hohen Raum. Doch der war leer. Mitten im Zimmer stand nur breit und stumm und wie immer der schwarz glänzende Konzertflügel.

„Da ist doch niemand", wunderte sich Siri.

Die Mutter nahm sie bei der Hand und führte sie zu dem Instrument. „Darf ich vorstellen", sagte sie, „das ist der Herr Konzertflügel."

„Den kenne ich doch schon." Siri klang enttäuscht.

„Aber ab heute darfst du auf ihm spielen, mit mir zusammen und auch allein." Iris sah, wie die Augen ihrer Tochter aufleuchteten. „Wir drei werden von nun an viel mehr Zeit zusammen verbringen und deshalb musst du ihn ganz genau kennen lernen. Die meisten Musiker machen leicht Bekanntschaft mit ihrem Instrument, denn sie haben es in der Hand: Sie blasen hinein und zupfen daran, sie drücken Klappen auf und zu, wie bei einer Klarinette, oder schlagen darauf. Sie sind ganz direkt mit ihm verbunden. Beim Klavier ist das viel schwieriger. Und daher kennt wohl kein Musiker sein Instrument so schlecht wie der Pianist. Aber das muss bei dir anders sein, wenn du eine große Künstlerin werden willst."

Siri zwängte sich neben Iris auf den Klavierhocker. Ganz eng saßen sie nun nebeneinander.

„Man liebt nur, was man kennt", erklärte Iris, „und man kann nur spielen, was man wirklich liebt. Deshalb komm her, ich mache euch miteinander bekannt."

Zusammen betasteten sie die krummen Beine und die goldenen Pedale des Konzertflügels. Sie berührten und benannten alle seine Teile: vom Tastendeckel bis zur Notenauflage, vom Flügelschloss bis zu den Hämmerchen. Dann musste Siri ihr Ohr auf die Deckplatte des Flügels legen und Iris schlug Akkorde an. Siri hörte zum ersten Mal etwas in den Tönen, das sie vor Glück erzittern ließ.

„Kriech unter den Flügel und klopf auf seinen Bauch", befahl Iris.

Begeistert krabbelte das kleine Mädchen unter das Instrument, rollte sich auf den Rücken und schlug erst mit der flachen Hand, dann mit der Faust gegen das Holz über ihr.

Danach spielte Iris ihr Stück „Echoes" und brachte den hölzernen Kasten zum Tönen. Eine Flut von Schallwellen erfasste Siri und am Ende juchzte sie unter dem Flügelbauch: „Das ist wie eine Musikdusche."

Dann waren die Tasten an der Reihe. Siri kletterte auf den Schoß der Mutter und lauschte ihren Erklärungen: „Nicht der Anschlag der Taste macht den Ton, sondern die Wippe mit dem Hämmerchen, das dann die Saite anschlägt." Sie drückten gemeinsam die mit Elfenbein belegten Tasten hinunter und spürten den Druckpunkt auf. Sie krochen fast hinein in den Flügelinnenraum, ließen Filz- und Holzschlägel auf und nieder wippen, zupften mit den Fingern die Saiten an und erfühlten die Schwingungen der Töne.

„Er braucht einen Namen", forderte Siri am Ende der Stunde.

„Wie wär's mit Mister Black?", schlug Iris vor.

Siri war einverstanden. „Aber dass er so heißt, sagen wir niemand", flüsterte sie.

„Das bleibt unser Zwillingsgeheimnis", flüsterte Iris zurück.

„Unser zweites großes Geheimnis, Duich."

„Genau, Ichdu."

Noch williger ordnete ich mich von nun an dem neuen Übungsprogramm unter, das Iris speziell für mich entwickelt hatte. Sie wusste genau, wie sie mich locken musste. Dass ich nun Mister Black mit ihr teilen durfte, hielt mich tatsächlich eine Weile von Janeck fern. Was sollte ich mir noch wünschen, da du mir doch alles gabst?

Iris Sellin galt in dieser Zeit schon als eine der erfolgreichsten Komponistinnen Neuer Musik. Mit nur neununddreißig Jahren hatte sie mehr als zwanzig internationale Auszeichnungen und Preise gewonnen, angesehene Stipendien und zahlreiche Lehraufträge erhalten. Sie gab zwar noch Konzerte, aber immer häufiger war sie als Komponistin unterwegs, besuchte Uraufführungen ihrer Werke oder führte in Gesprächen in ihre Porträtkonzerte ein.

Nach einem weiteren Jahr ungetrübten Zwillingslebens wurde Iris gebeten, eine Oper zu schreiben. Nachdem sie ihren Arzt konsultiert und er keine neuen dramatischen Veränderungen festgestellt hatte, sagte sie zu. Sie hatte schon Skizzen und Ideen in der Schublade.

Du hast viel über mich/dich/uns verraten mit deiner Oper, Iris. Die Geschichte von Eréndira, die ein südamerikanischer Dichter im letzten Jahrhundert schrieb, hast du sicher nicht zufällig ausgewählt.

In der Geschichte beutet eine faule und fette Großmutter ihre Enkelin Eréndira aus, die ihr den Haushalt führt. Das Mädchen muss so viel arbeiten, dass sie eines Tages im Stehen einschläft und vergisst, die Kerzen zu löschen. Ein Windstoß wirft die Kerzen um und das ganze Haus, das ganze Vermögen der geizigen Großmutter gehen in Flammen auf. Nun muss das Mädchen ihren Körper verkaufen, um den Schaden zu bezahlen. Die Großmutter wird zur Kupplerin, die das Geld der Männer eintreibt. Sie braucht das Mädchen, mit dem sie durch das Land zieht, um Geld zum Überleben zu verdienen. Doch dann taucht ein junger Mann auf, der sich in Eréndira verliebt. Die stiftet ihn an, die Großmutter zu töten. Während er als Mörder verhaftet wird, flieht Eréndira. Sie wollte nur Gerechtigkeit und ist am Ende selbst so böse geworden wie ihre Großmutter.

Was du vertont hast, ist auch ein Gleichnis für unser Leben. Hat dich deshalb der Stoff so gepackt?

Neun Monate lang und täglich acht bis zehn Stunden arbeitete Iris hinter geschlossener Tür an der Partitur. Und wenn Siri an die Tür trommelte, machte sie nicht auf. Dada nahm dann das Kind fest in die Arme und tröstete es. Die Kinderfrau verriet auch nicht, dass Janeck und Siri nachmittags ihre Streifzüge in die Stadt wieder aufgenommen hatten.

Janeck zeigte der kleinen Schwester die Gänge, wie man die alten Hinterhöfe mit den geduckten Häusern nannte. Durch das Vorderhaus führte ein niedriger Zugang, der Siri an einen

Stollen im Zwergenbergwerk erinnerte. Oder sie fuhren mit dem Bus an den Strand, jagten Möwen und suchten in den Algen nach Bernstein, den sie jedoch nie fanden. Ihre Edelsteine waren die abgeschliffenen grünen Glasscherben. Die verlassenen Strandkörbe zogen sie zu einem Kreis heran und ließen zwischen den Korbwänden ihre uneinnehmbare Burg entstehen.

„Was bedeuten denn die blutroten Zahlen auf den Mauern, Hauptmann?“, fragte Siri.

„Das ist die Anzahl meiner Opfer“, flüsterte Janne und lachte grausam. Und Siri kreischte dazu mit den Möwen ihr schreckliches Seeräuberlied.

Auch in das alte Kirchengewölbe stiegen sie wieder. Dabei sagte Siri einmal, wie gerne sie eine Katze hätte.

„Schreib es auf!“, sagte Janne. „Heute ist ein günstiger Tag. Die Sonnenstrahlen fallen durch das rechte Dachfenster genau auf die Wunschschnur und transportieren so alle Wünsche mit megaheller Lichtgeschwindigkeit in den Himmel.“

Als die Oper endlich fertig war und drei Monate später in New York aufgeführt werden sollte, wollte Iris mich zur Premiere mitnehmen. Mein entschiedenes Nein überraschte sie. Sie wusste ja nicht, dass Janeck mir etwas „Zum-Umfallen-Tolles“ versprochen hatte, wenn ich hier bei ihm bliebe. Und Kehinde folgte Taiwo zum ersten Mal nicht nach.

Ich entschied mich für Janne, so wie Kinder immer genau die richtige Menge essen, wenn man sie lässt. Ihr Körper sagt ihnen ganz instinktiv, wie viel und was sie zum Wachsen brauchen. Meine Seele muss gefühlt haben, wie sehr ich Janne brauchte, um gesund zu bleiben. Ich hatte dich satt, Iris, und hungerte danach, ein ganz normales Kind zu sein. Dein Klon wehrte sich dagegen, nur mit deiner Liebe voll gestopft zu werden.

Für die Premiere von Eréndira in der Metropolitan Opera in New York erhielt Mortimer G. Fisher eine persönliche Einladung von Iris Sellin, diesmal mit nur einer Karte. Er reiste von Montreal an, um sie zu sehen. Nach der Aufführung fanden sie sich schnell inmitten der trinkenden, plaudernden Menschenmenge.

„Sie haben sich kaum verändert", sagte Fisher. „Ich freue mich, Sie zu sehen. Wie geht es Ihrer Tochter?"

„Sehr gut, danke. Ich hätte sie gerne mitgebracht, aber es ging leider nicht. Sie ist wirklich wie ich geworden."

Fisher trug noch immer einen Ehering, doch darüber sprachen sie auch dieses Mal nicht. Nach der Premierenfeier begleitete er Iris spät in der Nacht zu ihrem Hotel. Dass er mit auf ihr Zimmer gehen würde, war nicht abgesprochen, doch es war wie ein stummes Einverständnis zwischen ihnen. Dort standen sie sich dann noch einmal so gegenüber wie damals vor bald neun Jahren, als sie zu ihm gesagt hatte: „Klonen Sie mich!" Dieser Satz hatte sie zu eng verbundenen Komplizen gemacht. Beide hatten dieses erregende Gefühl nicht vergessen und auch nicht, dass Iris' Bitte geklungen hatte wie: „Schlafen Sie mit mir!"

Das eine hatten sie getan, das andere noch nicht. Und als sie sich in dem New Yorker Hotel liebten, geschah es mit dem klaren Wissen, dass dies das erste und letzte Mal sein würde.

Ich bin mir sicher, Iris, dass es so gewesen sein muss zwischen Fisher und dir. Denn alle Menschen klammern sich an die Dinge, die sie kennen. Das gibt ihnen Sicherheit. Und von einem Mann ein Kind gemacht zu bekommen, den man noch nicht einmal geküsst hat, war irgendwie auch lachhaft. Der wissenschaftliche Erzengel Gabriel vollzog den Beischlaf mit dir, der gebenedeiten Jungfrau, doch dieses Mal wurde kein Mensch gezeugt, sondern im Gegenteil radikal verhütet.

Janecks Überraschung für Siri war eine schwarze, kleine Katze mit einer weißen Pfote. „Das ist ein schwarzes Klavier mit einer einzigen weißen Taste", alberte er. „Und wenn du da draufdrückst, quiekt es."

Siri fiel ihm um den Hals und streichelte das kleine Tier, das ihr nun ganz allein gehören sollte. Iris hatte sich immer geweigert, ein Haustier zu kaufen, weil es angeblich zu sehr ablenke.

Durch die ganze Wohnung schleppte Siri ihren kleinen Liebling, ging auch mit ihm ins Musikzimmer und schlug einige Klaviertöne an. Die Katze stellte die Ohren. In Iris' Arbeitszimmer passte Siri einen Moment lang nicht auf. Die Katze hüpfte ihr aus den Armen und landete auf dem langen Holztisch, wo noch die durchscheinenden Bögen lagen, auf denen Iris ihre Noten schrieb. Durch das raschelnde Pergamentpapier erschreckt, sprang das Kätzchen wie wild umher, die großen Bögen rutschten herunter, das Glas mit der Tusche, das nicht ganz zugeschraubt war, fiel um und ergoss sich über Iris Arbeiten. Einige der Bögen waren voller schwarzer Flecken.

Siri fing die Katze ein und beruhigte sie mit zärtlichen Worten, doch sie selbst zitterte vor Schreck. Iris hätte eben nicht wegfahren dürfen, dachte sie. Das geschieht ihr ganz recht. Ich werfe die Bögen einfach weg und sage nicht, dass du es warst, mein Kätzchen. Sonst darfst du nicht bleiben.

Sie gab der Katze den Namen Isabelle und flüsterte ihr leise ins Ohr: Jetzt bist du mein Leben.

Du standest wieder in der Tür, warst zurück aus Amerika. Doch dieses Mal rannte ich nicht auf dich zu und hielt meine Katze ganz fest im Arm. Du schautest mich wütend an, als du meine dreckigen Hände sahst und die Kratzspuren von Isabelle. Ich hatte auch mein allerbuntestes Rüschenkleid an, weil ich wusste, dass es dir nicht gefiel.

Wenn ich Angst oder Lampenfieber habe, zuckt genau wie bei dir meine linke Augenbraue. Dieses Zucken hat dich besänftigt, weil du dich in mir wiedergefunden hast. Und dann bist du zum ersten Mal auf *mich* zugegangen und hast mich und die Katze in die Arme genommen.

„Siri, du bist mein Leben“, hast du geflüstert. Und als ich deine Stimme hörte, war meine Angst verflogen. Du rochst so gut nach etwas zutiefst Vertrautem. Dein Geruch und deine Stimme gingen mir immer durch und durch. Ich musste nur meine Arme um dich legen, dir zuhören und in deiner Halsbeuge schnuppern, sofort liebte ich dich unendlich und verzieh dir alles. Ich vergaß die Tränen, die ich geweint hatte, als du weg warst, und meine Wut auf deine Arbeit, die unsere Zeit raubte.

Damit hast du mich immer gekriegt, Zwillingsschwester. Mit dieser Umarmung machtest du mich hilflos. Und wenn du in diesem Augenblick verlangt hättest, dass ich meine Katze weggeben und Janeck nie mehr sehen sollte, hätte ich dir das versprochen. Bald darauf habe ich Isabelle freiwillig einem Mädchen aus der Nachbarschaft geschenkt. Denn nach dem besonderen Konzert in Hamburg wollte ich keine Katze mehr, die mich ablenken konnte.

Einer der ersten Herbststürme fegte an diesem Septemberabend über die Autobahn, als wir nach Hamburg fuhren. Ich saß mit Janne und seiner Mutter in der ersten Reihe im Konzertsaal und eigentlich war alles wie immer. Und doch meinte ich plötzlich, deine Musik zum ersten Mal zu hören. Auf dieses Konzert hattest du mich mehr als sonst vorbereitet. Am Ende, als alle klatschten, bist du von der Bühne gestiegen, hast mich an der Hand genommen und hinauf ins Rampenlicht geholt. Dort haben wir uns gemeinsam verbeugt.

„Bald treten wir zusammen auf", hast du mir auf der Bühne zugeraunt. Nur ich hörte es unter dem lauten Beifall des Publikums.

Als ich dann mit Dada und Janne nach Lübeck zurückfuhr, verkroch ich mich auf der Rückbank, um weit weg von ihnen zu sein. Sie sollten sich nicht zwischen mich und dich drängen können. Plötzlich kam ich mir zwischen den beiden wie eine Fremde vor. Bei allem, was ich von nun an tat, hatte ich nur noch dieses Ziel vor Augen: mit dir zusammen aufzutreten.

Etwas hatte sich während des Konzertes verändert. Heute weiß ich: Damals begann ich, mir/dir/uns bewusst zu werden. Und während der ganzen Fahrt, Iris, hörte ich dich flüstern: „Du bist mein Leben, du musst üben! Mehr üben!" Deshalb habe ich meine Katze weggegeben.

An diesem Abend, als die Regentropfen an mein Fenster prasselten, habe ich mich in den Schlaf geweint. In meine Kleinkinderfurcht mischte sich schon die ängstliche Vorfreude darauf, endlich mit dir im Duett zu spielen.

Duett

KINDHEIT II

Plötzlich war dieser Name da, einfach so: Muzwi. Er hörte sich lustig an. Wenn ich beide Silben kurz und hoch aussprach, klang das fast wie Vogelgezwitscher, und sagte ich „Muzwi“ sanft und gedehnt, war es ein schöner Kosename. Doch ich konnte Muzwi auch scharf und schneidend aussprechen. Dann bellte ich das „Mu“ wie einen Befehl, ganz kurz und hart, wobei das „zwi“ dafür richtig zischen musste.

Muzwi bedeutet Mutterzwilling, der Name kam mir kurz vor meinem achten Geburtstag in den Sinn. Bis dahin hatte ich nur alles nachgeplappert. Jetzt dachte ich selbstständiger und begann langsam zu verstehen, mehr noch zu fühlen, was es hieß, nicht nur ein Zwilling, sondern ein Klon-Zwilling zu sein. Vielleicht fiel mir deshalb dieser Name für dich ein, Muzwi.

In der zweiten Klasse sollten alle ihren genetischen Stammbaum am Computer rekonstruieren. In das Feld „Vater“ setzte Siri eine Leerstelle und die Lehrerin korrigierte: „Das geht nicht, jede und jeder hat einen Vater. Du kannst höchstens das Kürzel für ‚unbekannt‘ oder ‚Eltern geschieden‘ eingeben.“

„Aber ich bin doch geklont. Meine Mutter hat keinen Mann gebraucht, um ein Kind zu bekommen.“ Siri fand das ganz normal und ärgerte sich über die anderen Kinder, die zu kichern anfingen. „Ich habe keine Eltern, sondern nur *ein* Klon-Elter, und das ist meine Mutter.“

„Klon-Elter – das habe ich aber noch nie gehört“, sagte die Lehrerin.

„Das ist auch allein meine Erfindung“, antwortete Siri stolz. Die Jungen und Mädchen prusteten los und steckten die Köpfe zusammen.

„Ruhe jetzt!“, befahl die Lehrerin. „Und du, Siri, kannst diese Leerstelle eingeben. Mal sehen, ob unser Stammbaumprogramm das schon annimmt oder ob es *error* meldet.“ Wieder lachten einige Kinder. Siri fragte sich, was es da zu lachen gab.

Abends erzählte sie ihrer Mutter von dem Vorfall und Iris beruhigte sie. Seit so vielen Jahren gebe es nun schon Klon-Kinder und noch immer dächten einige, dass diese Kinder genetisch manipulierte Menschen seien. Dummheit sei eben nie auszurotten.

Und Siri fragte Iris: „Habe ich wirklich keinen richtigen Vater? Erklär es mir bitte noch einmal ganz genau.“

Iris holte den sorgfältig aufbewahrten Artikel von Mortimer G. Fisher über seine erste Menschenklonierung aus ihrem Schreibtisch. Wie aus einer Iris-Eizelle ein Iris-Klon gemacht worden war, erklärte sie Siri anhand der Fotos, und dass sie genau wie eineiige Zwillinge waren.

„Und die verstehen sich und mögen sich deshalb besonders“, sagte Iris. Zusammen bewunderten sie das Foto des Siri-Iris-Zweizellers und dann das Bild des Siri-Iris-Fötus: „Da warst du gerade sechzehn Wochen alt.“

„Dann bist du meine Muzwi!“, rief Siri und klatschte in die Hände.

„Wie bitte?“

„Mein Mutterzwilling! Muzwi, Muzwi“, trällerte Siri.

„Daran könnte ich mich sogar gewöhnen, das klingt ganz lustig.“

„Und ein Klon-Junge hat dann einen Vazwi! Vazwi!“ Siri

wiederholte ihre Worterfindungen und freute sich über ihre tolle Idee.

In diesen Jahren rückten wir immer enger zusammen. Alle Individualität wurde mir erfolgreich ausgetrieben. Ich war du, mit allen meinen Sinnen und mit allem, was ich tat. Staunend und manchmal verwirrt war mein Kinderblick. Ich war süchtig nach dir, Muzwi. Andere Eltern nannten unsere Beziehung innig. Und doch wollte ich auch noch irgendwo anders hin. Wohin, wusste ich noch nicht, aber vielleicht waren meine kleinen Fluchten mit Janne in die Stadt oder in das Gewölbe Ausdruck dieser langsam wachsenden Sehnsucht.

Manchmal war mir auf unerklärliche Weise unwohl, aber die Regeln des Klonopoly durchschaute ich noch nicht. Ich tat, was du mir auftrugst. Ziehen Sie bitte eine Ereigniskarte! Darauf stand: Ich will eine große Pianistin werden.

Willig und eifrig übte ich, stundenlang, tagelang, monatelang. Meine Muskeln, die den schwierigen kleinen Finger zogen, waren schon ganz kräftig geworden. Denn der Kleine, den alle immer unterschätzen, ist der wichtigste Spieler. Er macht die höchsten und tiefsten Töne. Die Melodiefinger der rechten und linken Hand halten alles zusammen, was dazwischen liegt. Doch was hielt mich/dich/uns zusammen?

In der Schule hatte Siri keine Probleme. Den Lernstoff bewältigte sie fast nebenbei. Ihre Schulkameradinnen wussten, dass sie Pianistin werden wollte und ihre Mutter eine berühmte Komponistin war. Deshalb verstanden auch alle, dass sie wenig Zeit zum Spielen hatte. Siri war ruhig, störte niemanden, und so akzeptierten die Kinder die Aura des Besonderen, die Siri von Anfang an umgab. Überheblich war sie nicht, aber immer blieb eine große Distanz zwischen ihr und den anderen in der Klasse. Deren Mütter und Väter schauten manchmal neidvoll auf diese fast spürbare Übereinstimmung in der Sellin-Familie und wünschten sich heimlich, dass ihre Söhne und Töchter weniger aufmüpfig und ebenso liebevoll wären wie Siri zu ihrer Mutter.

Eineiige Zwillinge sind eigentlich nicht eineiig. Das lernten wir bald in der Schule. „Auch sie verdanken ihr Leben einer Ei- und Samenzelle, die verschmolzen sind", erklärte uns die Lehrerin, nachdem ich erzählt hatte, dass ich ein Klon sei. „Bei den zweieiigen dagegen werden zwei Eier zur gleichen Zeit befruchtet und wachsen nebeneinander heran. Bei den vermeintlichen Eineiigen spaltet sich die befruchtete Eizelle dann in zwei Teile."

Heute weiß ich natürlich, dass Wissenschaftler bei eineiigen nur von „monozygoten" Zwillingen sprechen und wir Klone – ganz korrekt gesagt – künstlich hergestellte monozygote Zwillinge sind.

Ab einem bestimmten Zeitpunkt verlieren die Zellen eines Embryos, wenn sie getrennt werden, die Fähigkeit, zu Zwillingen heranzuwachsen. Genau diesen Zeitpunkt setzen viele Forscher mit dem Beginn der Individualität gleich. Und so ist es doch nur logisch gedacht, dass die Fertigung eines Klons, wie ich einer bin, die Rückkehr in einen zygotischen Zustand bedingt und damit alle Individualität wieder austreibt. Der Beweis für diese Klon-Logik folgt noch!

Die Lübecker Wohnung war ein von der normalen Welt abgeschiedener Ort. Der Zaun ihrer Verbundenheit, den Mutter und Tochter darum errichteten, war hoch. Niemand sonst konnte ihn überwinden. Siri sperrte alle Schulfreundinnen aus und Iris alle Männer. Ihre Reisen boten genügend Gelegenheiten für kurze Affären, und wenn sie sich mit einem Mann öfters traf, musste er kommen, wenn Siri bereits schlief, und gehen, bevor es Tag wurde.

Thomas Weber war schon lange nicht mehr der Erste, der Iris Sellins neue Kompositionen zu hören bekam. Sie spielte nun ihre Musik zuerst ihrer Tochter vor. Es verletzte den alten Freund, dass er dieses Privileg verloren hatte, zudem fand er es auch schlicht lächerlich, ein Schulkind über Neue Musik urteilen zu lassen.

„Wieso?“, fragte ihn Iris. „Sie hat ein ganz elementares Gefühl für Musik, besonders für meine Musik. Kinder sind viel unbestechlicher als Erwachsene und nicht so verkopft. Sie kennen noch nicht die ganze Musikgeschichte, die wir mit uns herumschleppen und immer gleich einordnen wollen.“

Immer unzufriedener wurde Iris jedoch mit ihrem Klavierspiel. Die Multiple Sklerose machte langsam alle kleinen Bewegungen unmöglich, mit denen sie die Musik zum Leben erweckt hatte. Die Schultern, die Arme, die Hände, ihre Gelenke, ihr ganzer Körper konnten nicht mehr übertragen, was sie empfand. Alle Feinheiten gingen verloren. An den schlimmsten Tagen war sie froh, die Tasten überhaupt richtig zu treffen. An solchen Abenden saß sie neben Siris Bett und betrachtete das schlafende Kind, ihren Klon. Sie sah sich satt an den immer deutlicher werdenden Ähnlichkeiten.

Bist du die Liste der Wissenschaftler durchgegangen und hast mich/dich/uns abgehakt? Es gibt schließlich einige für monozygote Zwillinge geforderte, äußerliche Kennzeichen: Farbe, Form und Dichte der Haare; das Behaarungsmuster im Gesicht, am Hals und an den Händen; Länge, Dichte, Form, Farbe und Abstand der Augenbrauen; Farbe und Struktur der Augeniris; Weite, Form und Achse der Lidspalte; die verschiedenen Schädelmaße; Höhe, Breite und Form der Nase; Form und Stellung der Zähne; Form und Gestalt der Ohren; Kinnform; Körperhöhe; Hautfarbe und besondere Hautmerkmale wie etwa Sommersprossen, Durchblutung; Form der Hände und Finger und die Fingerabdrücke. Außerdem haben eineiige Zwillinge noch identische Hirnstromkurven.

Deshalb konntest du in mich hineinsehen wie in einen Spiegel und wusstest genau, was in mir vorging. Wie sonst hättest du es so spielend geschafft, mir die Geige auszureden? Die elegante Haltung des Instruments hatte damals dich und jetzt deine Tochter betört. Und nun holtest du die alte Geige deines Vaters aus dem Schrank und ließest die Saiten schrecklich quietschen. Das hatte damals auch deine Mutter mit dir gemacht.

„So falsch kann ein Klavier nie klingen", sagtest du. „Ein Klavier ist eine Musikmaschine und macht selbst die Töne. Du musst sie nur klingen lassen."

Ich hielt mir die Ohren zu und schrie: „Schrecklich!" und „Iiihh!" Zufrieden setzte ich mich danach wieder ans Klavier.

Für mich zählte die normale Welt kaum noch, sondern nur die Iris-Welt. Umso mehr litt ich dann, wenn du wieder in deine Klangwelten eintauchtest und für mich unerreichbar wurdest. Wegen der Krankheit musstest du die Zeit nutzen, in der es dir gut ging. Aber ich sah weg, wenn es dir schlechter ging und deine Hände zitterten. Ein kleines Kind fürchtet sich vor Krankheit.

Ich wollte eine gesunde Mutter. Deshalb musste ich noch besser spielen, denn das würde dir helfen. So wie damals, als du nicht mehr laufen konntest und ich fünf Jahre alt war und du mich gelobt hast: „Du bist mein Leben.“ Ja, ich bin dein Leben, Muzwi.

Siri trommelte nicht mehr an die Tür des Arbeitszimmers oder schrie und weinte nach Iris, wenn diese keine Zeit für sie hatte. Nur ein bitterer Zug entstellte dann ihren Kindermund. Und wenn Dada fragte, was mit ihr los sei, wurde sie trotzig. Entweder sagte sie nichts oder – und das geschah immer öfters – beschimpfte ihre Kinderfrau und warf ihr vor, immer zu Iris zu halten und mit ihr unter einer Decke zu stecken.

Fühlte sich Siri aus der engen Zweisamkeit in die Einsamkeit verstoßen, ging sie ins Musikzimmer. Auf Zehenspitzen huschte sie über das Parkett, um Iris im angrenzenden Arbeitszimmer nicht zu stören, und legte sich unter den hölzernen Bauch von Mister Black. Alles erinnerte sie an die feierliche Stimmung in einer Kirche, in der zu laute Schritte den Zauber vertrieben. An die Zauberfrau und ihre Zaubermusik glaubte das neunjährige Mädchen allerdings nicht mehr. Sie wusste nun, dass es so etwas nur in Märchen gab.

Das Wort Klon tauchte in keinem der Märchenbücher auf, die waren zu altmodisch. In den Geschichten tummelten sich jedoch viele Zwillinge, Jorinde und Joringel zum Beispiel und in einem anderen Buch natürlich das doppelte Lottchen! Ich konnte Klon buchstabieren, schreiben und lesen, aber nicht fassen. Manchmal, wenn man einen Namen aus einem fernen Land hört, weckt der Klang den Wunsch, dorthin zu reisen und diesen Ort, Berg oder Fluss in der Realität zu sehen und zu erleben. Das Klon-Sein war für mich, das Kind, wie ein Ort in einem fernen fremden Land, wo ich noch nie *wirklich* gewesen war.

An meinem neunten Geburtstag pflanzte Iris mit mir einen kleinen Ginkgo-Baum in unseren Garten. Sie sagte mir, dass seine fast herzförmigen Blätter ein uraltes Zwillingssymbol seien und uns deshalb Glück und Gesundheit brächten, und ich glaubte ihr blind.

Am Ende des neunten Jahres hatte ein zweites großes Klon-Outing Schlagzeilen gemacht. Anlass dafür war die Gründung der „Kommission für Fortpflanzungs-Fortschritt" (*Commission for Reproductive Progress, CRP).* Das Fortpflanzungs-Klonen war inzwischen etabliert und wurde von nun an staatlich kontrolliert.

„Wir leben im nachhippokratischen Zeitalter. Das letzte Wort hat schon lange nicht mehr der Arzt, sondern der Patient und die Patientin", stellte Klon-Pionier Mortimer G. Fisher in einem Interview fest. Professor Fisher und seine Kollegen hatten die Klon-Eltern und deren Sprösslinge oder Klonoide ermutigt, sich offener zu ihrer Zeugungsform zu bekennen. Tageszeitungen und Illustrierten griffen das Thema erneut auf und die Frage, „Klonkind, ja oder nein?", wurde noch einmal zum Thema in unzähligen Talkshows.

Dass einem Klon-Kind von vornherein ein Elternteil vorenthalten werde, ein Kind schon bei der Zeugung quasi entvatert bzw. entmuttert werde, könne kein Gegenargument sein. Immer mehr Kinder lebten doch bei Männern und Frauen, den so genannten Alleinerziehenden. Das Klon-Kind ziehe die Einelternfamilie nur konsequent bis zum Anbeginn einer Menschwerdung vor.

Als reine Spekulation taten Psychologen den Vorwurf ab, das Klon-Kind könne keine eigene Identität entwickeln. Gerade Studien an eineiigen Zwillingen hätten doch gezeigt, dass dies sehr wohl der Fall sei. Die Angst vieler Menschen vor solchen Menschen-Klonen sei daher irrational. Sie seien nur eine direkte Kopie, quasi ein Blueprint eines ganz normalen Menschen, und deshalb völlig normal.

Auch Mortimer G. Fisher glaubte nicht an das Märchen von den gespaltenen Seelen. Es entbehre jeder naturwissenschaftlichen Grundlage, meinte er. Alle Pflanzen, Tiere und selbst die Menschen seien doch – in gewissem Sinne – die Sklaven ihrer Gene. Niemand könne aus seiner Hülle oder seiner Haut heraus, auch nicht die vermeintliche Krone der Schöpfung, der *homo sapiens.* Der Klon werde wie alle Normalgezeugten entlassen in einen harten Kampf zwischen Anlage und Umwelt. Dort kämpfe er ums Überleben, müsse zeigen, was in ihm stecke und was er daraus mache. Jeder suche seinen Weg, gleichgültig ob Klon oder Nichtklon.

Außerdem mache die Natur schließlich selbst dieses Experiment: Auf tausend Geburten kämen sehr beständig immerhin drei bis vier eineiige Zwillinge und die seien doch nichts anderes als natürliche Klone. Warum sollten dann die künstlichen Zwillinge, *man made clones*, besonders widernatürlich sein? Die zeitversetzten Klone seien vielleicht sogar noch freier als die üblichen eineiigen Zwillinge, die nicht nur ihre Gene, sondern auch die Lebenszeit teilen müssten.

„Eines werden diese Geschöpfe jedoch nie sein: willenlose Körpergehäuse", betonte Fisher in einer Diskussionsrunde. „Es geht heute nicht mehr um Verbote, Klone leben schon seit Jahren unter uns. Wir kämpfen nur noch gegen Vorurteile. Klone sind Menschen wie du und ich. Lassen wir sie leben."

Iris ließ mich leben, aber nur auf unserer Zwillingsinsel. Deshalb vermisste ich Janeck so schrecklich, meinen „Auf-die-Bäume-kletter-Bruder". Ich dachte wehmütig an die Streifzüge mit ihm und an die verbotenen Stunden im Kirchengewölbe, die immer seltener geworden waren und eine Weile ganz aufhörten. Denn in dieser Zeit, als ich noch nicht zehn und Janne bald fünfzehn war, war es schwierig zwischen uns beiden. Ich war noch ein Kind und er hatte schon die ersten Bartstoppeln. Die anderen Jungen hatten ihn gehänselt, weil er mit der kleinen Sellin zu viel herumzog. Und als Janne sich auch noch zum ersten Mal verliebte, war ich eifersüchtig und wütend auf diese Karin, die ich gar nicht kannte. Als Janeck dann bei mir anrief und sagte, er könne leider nicht zu meinem Geburtstagsessen kommen, schrie ich in den Hörer, dass ich ihn nie mehr sehen wolle. Und Iris versprach mir zum Trost wieder einmal eine ganz besondere Geburtstagsüberraschung.

Das Geschenk von Iris war eine 450 Seiten dicke Partitur. „Gewidmet meiner Siri zum zehnten Geburtstag", stand darauf. Siri las den Titel und strahlte. Ihre Mutter hatte für sie eine Oper komponiert: „Der 35. Mai". Das gleichlautende Buch von Erich Kästner mit dem schönen Untertitel „Konrad reitet in die Südsee" hatte Iris schon als Kind geliebt und es gehörte auch zu Siris Lieblingsbüchern.

Einige Tage später schauten Mutter und Tochter den Proben für diese Oper zu, die in einigen Wochen Premiere haben sollte. Und Siri vergaß für kurze Zeit Janeck vollkommen, denn sie begleitete jetzt Onkel Ringelhut, seinen Neffen Konrad und das Pferd Negro Kaballo, die durch einen Kleiderschrank traten und in fremde Welten vorstießen.

Die „verkehrte Welt", in der Ringelhut und Konrad im dritten Opernbild landeten, mochte ich schon immer am liebsten. In diese Welt hatten nur Kinder Zutritt und sie bestimmten alles. Sie waren die Minister, und Lehrer und Eltern drückten die Schulbank.

Vielleicht liebte ich diesen Teil der Geschichte so sehr, weil er das extreme Gegenteil von meiner Welt zeigte: Hier bestimmte Iris über mich – nicht so wie andere Eltern, sondern in der radikalsten Weise, die man sich denken kann. Sie hatte mich zu sich gemacht: „Du bist mein Leben, vergiss das nie!"

Zur Premiere des „35. Mai" war der Arzt angereist, dem ich mein Leben zu verdanken habe. Mortimer G. Fisher kam am Nachmittag vor der Premiere zu uns nach Hause. Ich war unglaublich gespannt auf ihn, aber als er vor mir stand, blieb ich seltsam unberührt. Ich fand ihn sympathisch, nett sah er aus mit dieser runden Brille, aber sonst empfand ich nichts. Vielleicht hatte ich zu große Gefühle erwartet und war nun umso enttäuschter.

Aber dann sah ich seine schönen Hände mit den langen, schmalen, eleganten Fingern. Auch wenn alle und besonders Iris mir hundertmal erklärt hatten, es gebe keine besonderen Pianistenhände, es komme nur auf die Technik und die Reaktionsschnelligkeit an und auf das „innere Hören", auf den Kopf, so wünschte ich doch meine kräftigen Sellin-Hände mit diesen kurzen Fingern zum Teufel.

Wenn Fisher mein richtiger Vater gewesen wäre, hätte ich vielleicht seine Hände geerbt. Als mir dieser Gedanke durch den Kopf schoss, war der Mann mir nicht mehr egal. Ich war wütend auf ihn, weil er nicht mein Vater geworden war. Und ich war wütend auf Iris, weil sie nicht gewollt hatte, dass ich auch so schöne Hände habe.

In dieser Nacht weinte ich um den Vater, den ich nie haben würde und nach dem ich mich so schrecklich sehnte. Vielleicht war der Mann mit den schönen Händen doch mein Vater und Iris behielt es für sich, weil er verheiratet war? Lange Zeit danach redete ich mir ein, die uneheliche Tochter von Mortimer Gabriel Fisher zu sein.

Am Muttertag des zwölften Jahres hatte Thomas Weber ein Konzert organisiert, in dem Iris und Siri Sellin die zweite Hälfte bestreiten sollten.

So ein Muttertagskonzert barg kein großes Risiko. Das Publikum war wohlwollend, besonders wenn wie hier nicht nur Mutter und Tochter, sondern auch noch die Sellin-Zwillinge auftraten. Der Vorverkauf lief gut an, und zuletzt hatte sogar das Fernsehen angefragt, ob es die Übertragungsrechte für den zweiten Teil kaufen könnte.

Die „Tautropfen" hatte Iris ebenfalls ins Programm mit aufgenommen. Davor würde sie wie bei früheren Aufführungen etwas über deren Entstehungszeit, nämlich ihre Schwangerschaft mit Klon Siri, erzählen.

Siri hatte sich geweigert, dieses langweilige schwarze Kleid anzuziehen, das ihre Mutter für sie ausgesucht hatte. „Wir gehen doch auf keine Beerdigung, es ist Muttertag!" Dass ein schwarzes Kleid üblich sei, ließ sie nicht gelten: „Dann wird es heute eben mal unüblich.“ Iris drohte schließlich, das ganze Konzert platzen zu lassen, wenn Siri das Kleid nicht anziehe.

Siri hatte keine Wahl. Doch zehn Minuten vor ihrem Auftritt ging sie auf die Toilette, wo sie ein zehn Zentimeter breites, schrill gelbes Taftband hervorzog, das sie als flache Rolle in ihrer Strumpfhose versteckt hatte. Mehrmals schlang sie es um ihre Hüfte und band eine wunderschöne Schleife. Als sie sich dann wieder neben Iris stellte, bemerkte diese die Veränderung überhaupt nicht und Siri war so wütend, dass alles Lampenfieber wie weggeblasen war.

Die Ansage des Moderators lief schon, als Iris die Tochter fest an der Hand nahm und Siri allen Groll vergaß. Strahlend betraten beide die Bühne, wo die Konzertflügel im Scheinwerferlicht standen und die Fernsehkameras auf sie warteten.

Dieser lächerliche Auftritt am Muttertag! Und du hast meine gelbe Schleife nicht einmal gesehen. Dabei wollte ich doch nur, dass du *mich* endlich ansiehst. Schon vor dem Konzert hattest du mich einfach übersehen. Du hast mich als dich herumgezeigt: Mein Klon, sehen Sie! Ist er nicht gelungen? Als Protest blieben mir nur die bunten Kleider und grellen Bänder. Was kann eine Elfjährige schon ausrichten! Wenn du dich darüber geärgert hast, wusste ich: Ich bin wer. Aber nicht einmal diesen kleinen Triumph hast du mir an diesem Tag gegönnt. Mit Absicht hast du die gelbe Schleife übersehen!

Zum Muttertagskonzert war auch Janeck gekommen, seine Mutter hatte es sich gewünscht. Als die beiden mit einem knallbunten Blumenstrauß für Siri hinter die Bühne kamen, pfiff Janeck anerkennend durch die Zähne. „Kleine Schwester, was ist nur mir dir passiert? Du wirst ja schon eine richtige Ach-bitte-küss-mich-Frau." Und er drückte ihr ganz frech einen Kuss auf den Mund.

Siri wusste nicht, wohin mit ihren Händen und wohin sie schauen sollte. „Lass das", sagte sie. „So etwas machen große Brüder nicht."

„Das habe ich vergessen", sagte Janeck und knuffte sie in die Seite. Leise sagte er zu Siri: „Kommst du mit ins Gewölbe? Wir hängen neue Wünsche auf." Siri schüttelte den Kopf, aber sie lächelte dabei. Janne ließ nicht locker und so verabredeten sie sich flüsternd für den nächsten Nachmittag. Iris, die jetzt zu ihnen trat, durfte nichts merken.

Am nächsten Tag lag Siri wie früher auf dem Bauch und schaute durch die runde Öffnung.

Dieser Blick in die Tiefe erinnerte mich an das Kribbeln, das ich seit neuestem hatte, wenn ich Kristian sah. Seit einem Jahr war er der Freund von Iris.

Wahrscheinlich war er nicht öfter in der Wohnung als andere Männer vor ihm. Aber für die hatte ich mich nie interessiert und sie deshalb nie beachtet. Das Erste, was mich hatte aufmerken lassen, war eines Nachts seine Stimme gewesen. Ich mochte sie so sehr, dass ich beschloss, diesen Mann kennen zu lernen. Immer wieder hatte ich versucht, wach zu bleiben, hatte auf die Stimme gewartet. Und eines Abends war sie tatsächlich wieder da gewesen, und zwar in der Küche. Aufgeregt war ich aufgestanden und in die Küche gelaufen und Iris hatte mir Kristian vorstellen müssen. Ich habe schlecht geträumt, hatte ich gesagt, und mir ein Glas Wasser eingegossen.

Kristians Stimme war aus der Nähe noch immer wunderschön,

wie eine Mahler-Symphonie. Er war Architekt hier in Lübeck, aber oft auf Reisen, und er war zehn Jahre jünger als Iris, also zwanzig Jahre älter als ich. Als ich den beiden eine gute Nacht wünschte und Kristian mich mit seinen braunen Augen anlächelte, hatte ich dieses komische Gefühl zum ersten Mal gespürt.

Iris fiel auf, dass Siri oft hereinkam, wenn sie mit Kristian zusammensaß. Das störte sie, aber noch sagte sie nichts. Vaterphantasien seien wohl schuld, erklärte sie dem Freund, der verständnisvoll nickte. „Das geht auch wieder vorbei", sagte er.

„Gefällt sie dir eigentlich, meine Tochter, ich meine, gefällt sie dir sehr?", fragte Iris.

„Wie könnte sie mir denn nicht gefallen, wo sie doch schon fast aussieht wie du!", antwortete Kristian. „Aber sie ist noch so jung. Ich mag reifere Frauen viel lieber."

Iris' Lachen ärgerte das Kind, das wieder einmal aus dem Bett geschlichen war und an der Tür gelauscht hatte.

Und trotzdem näherten wir uns dem Gipfel der Übereinstimmung. Inniger ging es kaum noch. Ein eingespieltes Duo waren wir. Doch auf hohen Gipfeln wird die Luft sehr dünn, die Zwillingsliebe kann einem den Atem verschlagen.

Aus dem Ichdu-Duich-Spiel wurde langsam Ernst. Wir sahen uns mit jedem Tag, mit jeder Woche ähnlicher, bald mussten wir das Zwillingsein nicht mehr spielen.

Als ich meine erste Periode bekommen hatte, war ich zwölf gewesen. Ich hatte mit Iris ein Glas Sekt getrunken und darauf angestoßen, dass ich jetzt eine Frau war.

„Du bist doch mein Leben", hatte Iris gesagt. Und zum ersten Mal hatte ich ihr nicht geantwortet, sondern mich still gefragt: Aber mein Leben, wo ist mein Leben?

Ich hatte auch keine Vaterphantasien, sondern fragte mich, warum sich Kristian eigentlich nicht in mich, die jüngere Iris-Ausgabe, verliebte.

Mit dreizehn sah ich eines Morgens, als ich mich im Badezimmerspiegel betrachten wollte, nur noch meine Mutter. Warum hatte ich solche Angst? Ich wusste doch, dass ich ihr Zwilling war – fast schon gleich groß, gleich begabt, gleich im Aussehen. Warum erschrak ich so heftig?

Ich blinzelte der anderen zu, die sich jedoch nicht in das Mädchen zurückverwandeln wollte, das ich gestern noch gewesen war. Erst als ich ihr „Guten Morgen, Siri! Zähne putzen!", zurief, war ich wieder bei mir. Und ich schwor mir, nie wieder eins von Iris' Nachthemden anzuziehen. Aber nicht das Nachthemd war schuld. Meine Seele krankte an Iris und suchte Siri.

Der Einlingswelt boten die beiden noch immer ein Bild der Harmonie. Alle Träume schienen sich erfüllt zu haben. Siri gab immer öfters kleine Konzerte und spielte die Kompositionen ihrer Mutter. Iris' Gesundheitszustand schwankte zwar, aber es gab noch keine dramatische Verschlechterung.

Im Frühling des vierzehnten Jahres störte ein lauter Missklang die Zwillingsharmonie. Siri saß auf dem Klavierhocker mit dem blauen Polster und spielte „Echoes". Plötzlich kippte sie wie eine Puppe nach vorn. Dem dumpfen Aufprall auf den Tasten folgte ein schrecklicher Akkord. Iris schrie auf und zog die Tochter hoch, umfing ihren Oberkörper mit beiden Armen und drückte sie an sich. Wie ein kleines Kind wiegte sie Siri hin und her, streichelte ihr Gesicht und flehte: „Meine Kleine, wach doch auf!“ Siri wünschte sich, dieses Wiegen möge nie mehr enden.

„Eine kleine Ohnmacht, nur eine Kreislaufschwäche“, sagte der Arzt, den Iris sofort gerufen hatte. „Das kann schon mal vorkommen in diesem Alter, die ganze Hormonumstellung.“

Er hat Recht, dachte Iris, schuld ist sicher die Pubertät und dass Siri zu viel geübt hat in letzter Zeit. Aber dieser misstönende Akkord hatte sie verstört.

Da war immer nur „wir“, jahrelang nur wir, wir. In meiner Kindheit hatte ich nicht gelernt, *ich* zu sagen. Zu sehr liebte ich dich. Nur dieses Wir existierte, das Wir war allmächtig und übermächtig. Ich steckte in der Zwangsjacke dieser Zwillingsliebe. Sie lähmte mich, sie schnürte mir die Hände fest an den Körper. Und deshalb kostete mich das Spielen immer mehr Kraft.

Als unfertiges, linkisches, pubertierendes Mädchen mit zu langen Armen und noch etwas pummelig habe ich mich gefragt: Wie soll ich je so werden wie du? Du warst in meinen Augen noch immer so schön und erfolgreich. Und so wollte ich doch auch sein – aber plötzlich auch wieder nicht! Ich übte wie verrückt, um dir zu gefallen, und hatte Angst vor deiner Kritik. Wie hasste ich diese Übungen zum Anschlag und wollte doch immer nur üben, üben.

Jemanden zweiteilen bedeutet auch, in einem Menschen zwiespältige Gefühle säen. Hilfe!, schrie meine gespaltene Seele. Aber da war kein Vater, der sein Töchterchen beschützt und getröstet hätte.

Mein Körper, der deinem immer ähnlicher wurde, lehnte sich

als Erster auf gegen dieses riesengroße Wir, und zwar lange, bevor mein Gehirn alles verstand. Denn dieses Gehirn ist parteiisch, es wollte nicht begreifen. Unser Gehirn ist nämlich auch ein Zwillingswesen mit seinen zwei siamesischen Hälften. Und Zwillinge halten ja bekanntlich zusammen.

Ich war dir blind gefolgt in dieses Spiegelkabinett, gelockt von Zauberworten und getäuscht von Zerrbildern. Du allein schmecktest die Welt. Du hast dich voll und rund gefressen an deinem Erfolg und auch noch an mir. Wie ein tumber Tor trottete ich hinter dir her, Jahr um Jahr. Und dann war ich eines Tages kein Kind mehr, aber auch noch keine richtige Frau.

Das Wir war plötzlich so riesengroß wie noch nie und bedrohte mich. Wie sollte ich mich finden, wenn ich bei meiner Suche immer nur auf dich stieß, auf dein Bild und dein Bild von mir? Was ich auch tat, du warst schon vor mir da, du hattest alles vorher und besser gemacht. Ich sollte nur dein Leben sein, noch einmal.

Dabei hast du immer das Kind vergessen. Erst als ich mit dem Kopf auf die Tasten schlug, sahst du mich und wurdest zur Mutter, die mich tröstete und einfach in die Arme nahm, ganz ohne eine Absicht. Ich hielt meine Augen noch lange geschlossen, denn dieses Halten, das ich so vermisst hatte, sollte nie aufhören.

Nun, Iris, kannst du mich nie mehr halten und auch nicht trösten, selbst wenn du es wolltest.

Zum ersten Mal schlüpfte Siri ganz in die andere Haut, als sie vierzehn Jahre alt war. Sorgfältig zog sie einen feinen Lidstrich, tuschte ihre Wimpern und wählte einen Lippenstift von Iris aus. Die vier Zentimeter Größenunterschied zwischen ihr und ihrer Mutter fielen niemandem auf, wenn sie hochhackige Schuhe trug und deren graues Twinset anzog.

Mit derselben Geste wie die Zwillingsschwester strich sie vor dem Spiegel ihre Haare hinters Ohr und befahl der anderen: „Iris, nun ab ins Krankenhaus! Oma Katharina wartet."

Die alte Frau war bei einem Besuch in Lübeck an einer schweren Grippe erkrankt, die ihren Kreislauf hatte versagen lassen. Damit sei nicht zu spaßen bei einer Frau über siebzig, hatte der Stationsarzt gesagt, aber Iris war trotzdem in die USA gereist. Den einwöchigen Kompositions-Workshop, der so lange geplant und wie üblich ausgebucht war, könne sie doch unmöglich absagen. Sie hatte die Tochter gebeten, während ihrer Abwesenheit die Oma wenigstens ein- oder auch zweimal zu besuchen.

„Okay, ich vertrete dich."

Den Doppelsinn der Worte hatte Iris nicht durchschaut.

Zufrieden betrachtete Siri die andere im Spiegel. Alle eineiigen Zwillinge spielten doch solche Verwechslungskomödien und endlich konnte auch sie diesen Spaß haben.

Den Gang von Iris, ihre Gestik und ihr Lachen musste sie nicht einüben, das kam wie von selbst. Dass sie manchmal nicht mit genau derselben Stimme sprachen, wusste Siri. Sie hatte aber im Ohr, wie sich Iris' Stimme veränderte, wenn sie mit ihrer Mutter redete. Ein leicht aggressiver Unterton begleitete dann wie eine zweite Melodie jedes Wort. Siri übte deshalb den Satz „Hallo, Mama, wie geht es dir?" so lange, bis sie ihrer Meinung nach mit perfekter Iris-Stimme sprach. Die Oma konnte fast nichts mehr sehen, dafür hörte sie umso besser.

Um drei Uhr nachmittags betrat die falsche Iris das Krankenzimmer. „Hallo, Mama, wie geht es dir?" Die Pflegerin, die gerade die Kissen aufschüttelte, schaute nur kurz auf und verließ dann das Zimmer.

Die Kranke war überrascht. „Ich dachte, du bist in Amerika", sagte sie.

„Ich habe die Reise deinetwegen abgesagt", antwortete Siri und Oma Katharina schaute sie erstaunt an. Siri fürchtete einen Moment, ihr übertrieben freundlicher Ton habe sie verraten.

Gerührt und sprachlos griff Katharina Sellin nach Siris Hand und strich mit den Fingern darüber. Die entwand sich dem Griff ihrer Oma, bevor sie die Fälschung ertasten konnte.

Auch an den folgenden zwei Nachmittagen tauchte das Double im Krankenhaus auf und narrte die alte Frau. Diese Iris gab der Mutter endlich in vielem Recht. Ja, ja, es stimme, nur ihr habe sie die Karriere zu verdanken. Und diese Tochter, darüber schweige man besser.

Als Siri nach dem dritten Besuch das Krankenhaus verließ, lief ihr der Stationsarzt mit einer CD in der Hand hinterher.

„Entschuldigen Sie, Frau Sellin", rief er. „Ich habe Sie oben auf der Station verpasst. Würden Sie mir bitte ein Autogramm geben? Bitte mit dem morgigen Datum, da hat meine Frau Geburtstag."

„Aber ..." Siri senkte schnell den Kopf.

Der Arzt stutzte, schaute auf das Foto auf der CD-Hülle und dann auf sein Gegenüber. „Du meine Güte! Sie sind ja die Tochter. Jetzt habe ich Sie doch tatsächlich mit Ihrer Mutter verwechselt", entschuldigte er sich.

„Ich kann es Ihnen trotzdem signieren", lachte Siri. „Eine Sellin ist wie die andere und unsere Unterschriften sind auch ziemlich ähnlich."

Etwas zögerlich und verlegen reichte ihr der Arzt seinen Tintenschreiber und Siri schrieb Iris', Namen quer über das Foto.

An den folgenden Tagen ging sie nicht wie versprochen in die Klinik und auch nicht ans Telefon. Als Iris Sellin nach einer Woche aus Amerika zurückkehrte und ihre kranke Mutter besuchte, machte die alte Frau ihr sofort Vorwürfe: „Was ist in dich gefahren? Warum behandelst du mich so? Erst kommst du jeden Tag und dann lässt du dich gar nicht mehr sehen und nimmst auch das Telefon nicht ab."

„Aber ich war ... ", Iris verschluckte den Rest des Satzes. Sofort war ihr klar, dass Siri dieses schlechte Theater aufgeführt haben musste.

Zum ersten Mal hatte Siri ihren Platz eingenommen und sie ganz ersetzt, und darüber freute sich Iris sogar. Sie lächelte ihre Mutter an und sagte: „Ich hatte einfach zu viel zu tun."

Diese eingeübte Iris-Stimme, mit der ich Oma Katharina getäuscht hatte, wurde ich nie wieder los. Dieser aggressive Unterton begleitete von nun an wie eine leise Melodie jedes meiner Worte an dich, Muzwi. Noch eine Ähnlichkeit mehr – eine bittere Lektion für die dumme, kleine Siri, die doch endlich anders sein wollte. Aber was ich auch tat, immer mehr wurde ich wie du. Ich konnte nicht aus meiner/deiner/unserer Haut!

Als Oma Katharina wenige Wochen später an einer Embolie starb, weigerte ich mich, zu ihrer Beerdigung zu gehen. Denn das Monster habe ich ihr nie verziehen, obwohl ich ihr heute Recht geben muss: Wir/du/ich waren Monster geworden, Zwillingsmonster.

Du hast mich nach dem Krankenhaus-Theater nicht ausgeschimpft, aber das genau hatte ich gewollt. Nicht Oma Katharina wollte ich ärgern, sondern dich provozieren. Aber du hast nur gelacht und gefragt: „Warum hast du das nicht mit mir abgesprochen? Zusammen macht so eine Verwechslungskomödie doch viel mehr Spaß. Wen sollen wir als Nächstes täuschen?"

„Wie wär's denn mit Kristian?", habe ich gefragt. Da versteinerte sich dein Gesicht. Mit einem gequälten Lächeln meintest du schließlich, das sei keine besonders gute Idee. Danach hast du mich anders als sonst angeschaut. Zum ersten Mal hast du mich als Rivalin gesehen, Iris, mich allein gesehen. Jetzt wusste ich, wie ich dich treffen konnte.

Kristian konnte Iris und Siri nicht länger unbekümmert gegenübersitzen. Als er eines Tages das Aussehen der beiden unbewusst verglichen und Siri ihm besser gefallen hatte, war er zutiefst erschrocken und hatte sich geschämt. Nur kurz hatten sich seine und Siris Blicke gekreuzt, aber er war sicher, dass sie ihn durchschaut hatte.

Danach lächelte er sie seltener an und Iris fragte ihn: „Warum bist du plötzlich so abweisend zu Siri?"

„Sie geht mir auf die Nerven. Inzwischen ist sie wirklich zu alt, um mich als Vaterersatz anzuhimmeln."

„Ich rede mit ihr ...", sagte Iris.

Aber Kristian unterbrach sie harsch: „Lass das bitte, das regle ich schon alleine. Ich komme einfach seltener hierher und wir treffen uns stattdessen mehr bei mir."

Iris nickte, aber ihr war unwohl dabei.

Das Ichdu-Duich-Spiel musste Folgen haben. Und eine Folge dieses Zwillingstheaters war, dass ich mich tatsächlich in denselben Mann verliebte wie du. Die Klonopoly-Regeln, Iris, sind eben gnadenlos! Aber plötzlich wolltest du nicht mehr mitmachen, du Spielverderberin. Gehen Sie nicht über Los, ziehen Sie nicht meinen Freund ein!

Als ich das nächste Mal mit Janne in das Gewölbe kletterte, lag ein besonderer Wunschzettel in meiner Jackentasche. „Ich bin verliebt. Ich will, dass er mich auch lieb hat", stand darauf. Ich hatte den Namen weggelassen, damit ich Janeck wie verabredet meinen Wunsch zeigen konnte.

„Wer ist denn der Glückliche?", fragte er. „Bin ich das vielleicht?"

„Sei nicht so eingebildet", sagte ich.

„Was nicht ist, kann ja noch werden", lachte er.

„Aber dann hätte ich ja keinen Bruder mehr." Meine Stimme klang so ernst und ich muss so erschreckt geschaut haben, dass Janeck mich in den Arm nahm und ganz feierlich versprach, sich nie in mich zu verlieben.

In diesen Jahren, als Siri vom Kind zur Frau wurde, staunte Iris immer wieder: Ihr Plan hatte sich tatsächlich erfüllt. Da stand ihre schöne, gesunde Tochter, die auf dem besten Wege war, eine ausgezeichnete Pianistin zu werden. Noch einten die Klavierstunden an Mister Black die beiden Zwillinge. Noch sperrte das Bedürfnis, sich in Musik zu äußern, und diese Besessenheit, die Klänge zusammen zu fühlen, die Zwietracht aus. Wenn sie im Duett spielten, fühlte Iris durch und durch, dass alles richtig gewesen war. Dann konnte sie ihre Tochter und deren Jugend lieben, dann wurde auch sie wieder jung und fühlte sich wie eine Göttin. Hoch oben über allen thronte sie und schien unsterblich.

Doch auch dunkle Momente erlebte Iris jetzt immer öfter. Denn die Multiple Sklerose gönnte ihr keine Ruhe mehr. Ab dem vierzehnten Jahr waren die Schübe häufiger und schwerer geworden. Sie machten Iris an manchen Tagen zu einer alten Frau, die hin und wieder sogar einnässte. Sie war erst Mitte vierzig, doch während solcher Zeiten bewegte sie sich wie eine Greisin.

Wer in einen normalen Spiegel blickt, sieht immer auch, was er sehen will, wird durch ein kleines Lächeln wieder jung, verwandelt sich durch eine Kopfdrehung in die junge Frau, die sie sein will.

Der Anblick von Siri ließ Iris keinen Raum für Illusionen und das machte diesen leibhaftigen Spiegel so unerträglich. Die zweite Iris war dann kein Trost mehr, wurde immer häufiger zur Folter. Sich ständig als blühender Frau zu begegnen schmerzte besonders, wenn Iris sich schlecht fühlte. Missgunst und Neid machten sie bitter und ihrer Tochter gegenüber unnachsichtiger.

Scharf beobachtete sie Kristian und meinte in seinen Augen ein besonderes Aufleuchten zu erkennen, wenn er Siri doch einmal begegnete. Und warum sollte Siri ihm eigentlich nicht gefallen? Sie war doch wie Iris, nur eben jünger und immer öfters auch schöner. Eifersucht vergiftete Iris' Gedanken.

Immer zwiespältiger wurden auch meine Gefühle. Je stärker ich dir glich, umso fremder fühlte ich mich in meinem Körper, den ich misstrauisch beäugte. Er gehörte nicht mir, sondern dir. Ich wollte aber nicht länger wie du sein, hatte als Klon jedoch keine Wahl und entwickelte mich nach meinem/deinem/unserem festgelegten Gen-Programm.

Aber dass Zwillinge in einem ewigen Kampf miteinander stehen, ist schließlich altes Menschheitswissen. Sie verkörpern Licht und Finsternis, sie sind Symbole für das Gute und Böse. Deshalb werden sie in vielen Religionen als etwas Besonderes verehrt. Und weil Zwillinge sowohl Unheil als auch Glück bringen können, muss man sie verwöhnen und bei Laune halten, damit nur ihre positiven Kräfte wirken.

Ich war schon lange kein kleines Kind mehr, das leicht bei Laune zu halten war. Auf der Zwillingsinsel lebten jetzt zwei Frauen, es wurde eng. Meine bunten Kleider waren wie eine Kriegsbemalung, denn Frieden konnte es nun nicht mehr geben.

Deine Lebenslinie ging bergab, Iris, und meine bergauf. Dort, wo sie sich kreuzten, musste es zum Zweikampf kommen. Ich oder du, du oder ich? An der Schwelle zum Erwachsenwerden entzweiten wir uns. Die Zeit war gekommen, in der ich endlich alles begreifen und die Zwietracht beginnen sollte.

Zwietracht

Jugend I

Ich bin traurig heißt: *I feel blue.* Ich bin blau bedeutet auch: Ich bin betrunken. Blau hat immer zwei Gesichter. Bläulich ist das kalte Laborlicht, in dem unsere Beziehung begann. Und blau kann so schön und kitschig sein wie der herrlichste Sommerhimmel oder die blaue Grotte von Capri. Ein *Blueprint* zu sein hat auch zwei Seiten: Da gibt es Zwillingsschmus und kaltes Kalkül, höchste Liebe und tiefsten Hass.

Die Sklaven sangen den Blues, weil sie sich nach Freiheit sehnten. Und auch ich hatte den Blues. Ein echter Zwilling war ich nie gewesen, sondern nur ihr Klon. Das begriff ich mit fünfzehn, als ich ohne Iris zu einem Zwillingstreffen fuhr.

Siri hatte ihrer Mutter erzählt, sie verbringe mit Janeck wieder einmal ein Meer-Wochenende. Ihr großer Bruder, der bald in Hamburg Jura studieren wollte, hatte sich gerade einen klapprigen Gebrauchtwagen gekauft und Siri musste ihn nicht lange bitten, sie nach Dibbern zu fahren.

„Warum willst du denn so dringend zu diesem Treffen – wie war noch gleich das Motto?“, fragte er, als sie im Auto saßen.

„Ein Ei gleicht dem anderen ... oder was sonst noch drinsteckt.“

„Das tut weh, dieser Soll-wohl-witzig-sein-Titel! Einfach nur bescheuert“, sagte Janne und lachte.

„Du musst ja nicht mitkommen. Ich will nur wissen, wie es ist.“

„Wie was ist?“, fragte Janeck.

Siri zuckte mit den Schultern und schwieg.

Nachdem sie in Dibbern ein billiges Zimmer in einer kleinen Pension gefunden hatten, brachte Janeck sie mit dem Auto zur Stadthalle am Ortsrand. Über dem Eingang hing ein Transparent mit großen Lettern: „Erstes internationales Zwillingstreffen“. Blumengestecke standen rechts und links neben der offenen Glastür. Siri drehte sich noch einmal um und winkte Janeck zu, bevor sie in dem Gebäude verschwand.

Als Siri sich in die Teilnehmerliste eintrug, überprüfte die Sekretärin ihre Anmeldung und fragte, ob die Zwillingsschwester Iris noch nachkäme.

„Die ist leider krank geworden, eine schwere Grippe“, log Siri.

„Schade, dann können Sie morgen ja gar nicht an unserem Hauptwettbewerb teilnehmen. Wir suchen das ähnlichste Paar – und Sie sind doch eineiige Zwillinge?“, fragte die Sekretärin.

„Eineiiger geht's gar nicht“, sagte Siri. „ Ei im Ei, richtig klonig. Gingko statt Bingo!“

„Humor haben Sie ja“, sagte die Sekretärin. „Vielleicht wäre dann der andere Wettbewerb etwas für Sie. Wir suchen morgen auch den besten Zwillingswitz.“

Der Bürgermeister begann gerade mit seiner Begrüßungsansprache, als Siri die lichte Halle betrat. Sie versuchte weiter nach vorne zu kommen, doch die Besucher standen zu dicht gedrängt. „Paare und besonders Zwillinge liegen im Trend“, erklärte der Mann am Rednerpult. „Sie treffen den Zeitgeist, vielleicht weil unsere moderne Gesellschaft mit ihren Datennetzen und Bilderwelten, den Einkindfamilien und Singles zur einsamsten aller Welten geworden ist. Alle suchen wir immer stärker Geborgenheit und Gemeinsamkeit. Die Ich-Zeit geht zu Ende, die Wir-

Generation ist auf dem Vormarsch – das postulieren Soziologen und Kulturkritiker. Und ganz besondere Vertreter dieses neuen Wir-Gefühls haben sich heute hier versammelt. Ich begrüße alle Zwillingspaare und auch alle Zwillingseltern ganz herzlich!"

Der Bürgermeister sah in lauter lächelnde Gesichter, die meisten gab es zwei- und ein paar wenige auch dreifach. Da fiel unter den trinkenden und plaudernden Paaren das einzelne, verstörte Gesicht einer Fünfzehnjährigen niemandem auf. Siri kam sich sehr verlassen vor in dieser doppelten Welt und verstand, dass Zwillinge solche Treffen planten, um einmal nicht die Ausnahme, sondern die Regel zu sein.

Nach dem Programmpunkt „zwangloses Kennenlernen" versammelten sich die unzähligen Zwillingspaare, die zwischen zwei und fünfundsiebzig Jahre alt waren, auf der Hallenbühne zum Gruppenfoto. Sie könne leider nicht mit aufs Foto, sagte Siri einem der Organisatoren, der sie auf die Bühne drängen wollte, ihre Zwillingsschwester sei schwer erkrankt.

Anschließend gab es Zaubervorführungen und viele Zwillingseltern tauschten Kinderkleider und Zwillingswagen. Ein Porträtzeichner, den Siri lange beobachtete, verewigte unzählige Doppelgesichter. Dann wurde der Vortrag eines Zwillingsforschers angekündigt und die Menge flutete in den großen Saal zurück.

„Kennen Sie folgende Situation?", fragte der bärtige Mann und stützte sich aufs Rednerpult. „Sie laufen ganz gemütlich durch die Stadt. Plötzlich stürzt ein unbekanntes hübsches Mädchen auf Sie zu und umarmt Sie heftig. Das passiert normalerweise selten, es sei denn, Sie sehen einem bekannten Star ähnlich oder – Sie haben einen monozygoten Zwillingsbruder."

Zustimmendes Gemurmel füllte den Saal und vereinzelt kicherte jemand.

Der Zwillingsforscher erzählte weiter: Sehr oft komme es vor, dass sich Zwillinge gegenseitig zur gleichen Zeit anzurufen versuchten und daher beim Zwillingspartner das Besetztzeichen ertöne. Kopfnicken begleitete auch seine Ausführungen zu dem Phänomen, dass Zwillinge manchmal ein und dasselbe Jackett an exakt demselben Tag kauften.

Derartige kleine Geschichten tat der Forscher jedoch etwas verächtlich als „Zwillingsfolklore" ab. Bei der richtigen Zwillingsforschung gehe es um viel mehr als um solch witzige und unterhaltsame Vorfälle. Seine Stimme wurde ernster und lauter.

Siri fühlte sich wie in einem wirren Traum. Schon bald suchte sie den Ausgang und hörte, während sie sich durch die Frauen, Männer und Kinder zwängte, nur noch Bruchstücke des Vortrags: „Die relativen Anteile der Genetik auf der einen und der relative Anteil der Umwelteinflüsse auf der anderen Seite ... Hautkrebs ... Intelligenz ... auf den Genotyp wirken Umwelteinflüsse ... der Phänotyp ist, wie jemand aussieht ... Angstmuster haben auch eine genetische Grundlage ..."

Wo war nur die Tür? Panik überfiel Siri, als die Menschen zu klatschen begannen. Die Menge mit ihren sich rhythmisch bewegenden Armen und Händen schien sie festhalten zu wollen. Sie drängte sich an den Körpern vorbei, wollte heraus aus dieser gedoppelten Welt, wo alle mit vier Augen zu sehen und mit zwei Nasen zu riechen schienen und Echosätze aus doppelten Mündern sie verfolgten:

– Wenn meine Schwester stirbt, möchte ich keinen Monat länger leben.

– Immer haben uns alle verwechselt, schon auf der Säuglingsstation.

– Seit fünfundsiebzig Jahren sind wir immer zusammen und haben uns nie gestritten.

– Plötzlich waren zwei da! War das ein Schreck!

– Eine Doppelhochzeit mit einem anderen Zwillingspaar, davon träumen wir.

– Ich verstehe nicht, wie sie sich so unterschiedlich kleiden können.

– Meine Zwillingsschwester und ich haben unsere Kinder am gleichen Tag geboren.

Noch bevor die als nächster Programmpunkt angekündigte Talkshow „Rund um den Zwilling" begann und die Rockgruppe „Die Zwillinge und die Blechband" zur „Tanznacht der Zwillinge" aufspielte, stand Siri im Foyer. Endlich war sie allein. Nur noch dumpfes Gemurmel und Gelächter drangen durch die große Flügeltür. Wie betäubt ging sie an den Ausstellungswänden entlang, wo Arbeiten von Zwillingskünstlerpaaren präsentiert wurden.

Nie vergessen habe ich dieses Farbfoto einer Zwillingskünstlerin. Auf Kleiderbügeln hingen zwei rote Trainingsanzüge, quer über die Brust stand *Chicago Bulls* geschrieben. Die leeren Kapuzen starrten mich an wie tote Gesichter. Dem linken Anzug fehlte das rechte und dem rechten das linke Bein. Erst zusammen wurden sie zum Zweibeiner und konnten loslaufen.

Und, Iris, je länger ich dieses Foto anschaute, umso mehr sah ich und durchschaute auch endlich mich/dich/uns! Diese beiden Einbeinigen, denen diese Kleidungsstücke gehörten, waren in gleicher Weise aufeinander angewiesen. Du aber hattest mir nicht nur ein Bein abgeschnitten und einen Arm samt Hand weggenommen. Du hattest alles und ich nichts.

Die Einheit der Zwillingspaare, die hierher gekommen waren, war echt. Denn alle waren gleich frei oder gleich unfrei. Echte Zwillinge entstehen miteinander, einen gibt es ohne den anderen nicht. Die Einheit aber, die du mir vorgespielt hattest, seit ich mich erinnern konnte, war unecht. Ich war ein Abbild und du das Vorbild. Du ließest mich herstellen, allein du hattest die Macht. Ohne dich würde ich nicht existieren. Ich würde niemals hierher gehören.

Diese ganze Zwillingsseligkeit, die mir Angst gemacht hatte, war unerträglich. Sie hatte mich aus dem Saal vertrieben und das war gut so. Denn sonst hätte ich vielleicht nie dieses Foto mit den roten Trainingsanzügen gesehen.

Nach diesem Wochenende war Siris Blick auf Iris ein anderer und gnadenlos geworden. Sie wagte genau hinzuschauen und sah auf einmal, wie viel sich in letzter Zeit verändert hatte. Iris' Hand zitterte, wenn sie die Gabel zum Mund führte. Essen tropfte von den Lippen und sie verschüttete ihren Kaffee. Wenn Iris aufstand, drückte sie sich geschickt auf den Stuhllehnen in die Höhe. Manchmal schwankte sie leicht, wenn sie den langen Gang hinunterging. Dann stützte sie sich dort an der Wand ab, wo die weiße Tapete schon ganz grau geworden war. Siri sah beschämt durch den Spalt der offenen Badezimmertür, wie sich ihre Mutter vor einem langen Termin eine Windel anlegte. Iris' schöne, runde Schrift wurde immer eckiger und krakeliger und die ehemals so vollkommenen Notenbilder auf den Pergamentbögen wirkten jetzt verzerrt und unharmonisch.

So traurig das auch war – Siri fand alles gut, was sie und Iris verschieden machte. Die MS erschien ihr fast als eine glückliche Fügung, denn sie verstärkte die Unterschiede zwischen den beiden: Iris wurde kränker und älter und ließ die gesunde Siri umso strahlender aussehen.

Siri fühlte, wie ihr das Mitleid mit Iris abhanden kam, doch was sie stattdessen empfand, wusste sie nicht. Sie taumelte durch ein seelisches Niemandsland, haltlos in ihren Gefühlen und nächtlichen Träumen.

In meinem Kinderzimmer hing ein kleiner hölzerner Schaukasten mit einem prächtigen, blauen Caligo-Falter. Oft hatte ich geträumt, als dieser Schmetterling durch die Luft zu segeln mit weit ausgebreiteten, dunkelblauen Schwingen.

Nun war ich in meinem nächtlichen Kopftheater nur noch eine dicke unansehnliche Raupe, die wachsen musste und sich verändern wollte. Wie ein Mensch ein Hemd über den Kopf zieht, so streifte dieses Tier eine Haut nach der anderen ab. Doch wie viele dieser durchscheinenden Hüllen die Raupe auch abwarf, sie fand keine Ruhe, verpuppte sich nicht. Erschöpft kroch sie umher.

Ich konnte mich in keinen schönen blauen Schmetterling mehr verwandeln und am Ende nur eintrocknen und zerfallen wie diese dumme, unglückliche Raupe.

Verzweifelt suchte Siri Dinge, an die sie sich halten konnte, so wie an dieses Foto mit den Trainingsanzügen. Aber damals gab es noch keine Bücher oder Fachleute, die den wenigen existierenden Klonen halfen, sich und die Welt besser zu verstehen. Und deshalb las Siri in ihrer Hilflosigkeit wie besessen alles, was sie über Zwillinge finden konnte. So lernte sie akzeptieren, dass sie einer von ihnen war. Aber sie wusste nach dieser Lektüre noch bestimmter, dass Klone etwas anderes waren als künstlich hergestellte, eineiige Zwillinge.

Jedoch fand sie in keinem der unzähligen Bücher einen Begriff, der dieses bedrohliche Anderssein, das sie immer stärker fühlte, fassen konnte. Bis ihr eines Tages zufällig ein Artikel zu einem ganz anderen Thema in die Hände fiel, und augenblicklich verstand sie, was Klonen *wirklich* bedeutete.

Viel zu einfach habt ihr es euch gemacht, ihr Einlinge! Eure Rechnung hieß: Klon ist gleich Zwilling. Und diese Rechnung ist lange Zeit aufgegangen. Man könne schließlich nicht gegen einen Klon sein, wenn man für einen Zwilling sei! Und wenn die Natur diese Zwillinge erzeuge, so stehe es dem Menschen nicht zu, Klone zu verbieten.

Um die dumme, einfallslose Formel, Klon ist gleich Zwilling, attraktiv zu machen, gab es auch noch anspruchsvollere Begründungen: Das moderne Ich sei sowieso in Auflösung begriffen. Und da es eh nichts mehr gebe, an das man sich halten könne, sei es sowieso gleichgültig, wenn es jemanden zweimal gebe.

Das Wort Klonen, das in aller Munde war, ist ein technischer Begriff, wertfrei und neutral. Ich aber will moralisch sein und habe ein moralisches Wort geschaffen, das ich euch vor die Füße spucke: Sprecht besser nicht mehr vom Klonen oder von uns Klonen, sprecht von *Missbrut!*

Dieses Wort ähnelt dem Begriff Missbrauch und genau das ist beabsichtigt. Denn moralisch obszön sind beide und auch die Opfer leiden ähnlich. Beide verstehen lange Zeit nicht, was mit ihnen geschieht oder geschehen ist. Sie lieben die Täter, die ihr Vertrauen ausnutzen. Von der Umwelt und von Gleichaltrigen ziehen sie sich zurück, wie ich es getan habe. Sie fühlen sich schuldig, weil ihnen das alles widerfahren ist, und schweigen am liebsten darüber. Manche verachten sich so, dass sie ihren Körper hassen, andere gehen noch weiter und hungern sich fast zu Tode oder zerstümmeln sich. Stumm schreien die Missbrauchten um Hilfe – genau wie ich, als ich ohnmächtig wurde und mein Kopf auf die Klaviertasten schlug.

Klonen ist Missbrut – auch ins Englische müsste sich das Wort gut übersetzen lassen. Wie wär's mit *Repro abuse*? So kann auch Mortimer G. Fisher mich endlich verstehen.

Redet bitte auch nie wieder von Liebe, wenn es ums Klonen geht. Selbst Narziss suchte seine tote Zwillingsschwester, als er *sich* im Spiegel bewunderte, aber nicht einmal dieser Prototyp eines Selbstverliebten schuf einen Klon nach seinen Wünschen. So selbstherrlich und selbstverliebt war nicht einmal er!

Ihr, die ihr diese Missbrut betreibt, seid weder Mann noch Frau, sondern ein drittes Geschlecht. Schon die alten Griechen haben euch gekannt und in dem Mythos vom Gott Eros beschrieben, der erzählt, wie die Liebe zwischen Mann und Frau in die Welt kam:

Das mannweibliche Wesen war rund gewesen, alle seine Gliedmaßen und Sinnesorgane waren verdoppelt und es bewegte sich Rad schlagend und kreisend fort. Dieses kräftige Geschlecht nun wollte sich einen Zugang zum Himmel bahnen und die Götter angreifen. Um diese Gefahr zu bannen, schnitt Zeus sämtliche mannweiblichen Wesen in zwei Hälften und formte daraus je einen Mann und eine Frau. Seitdem sehnt sich jede Hälfte nach der anderen. Jeder Mensch sucht immer sein anderes Stück und genau das nennt man „den Eros“ oder „die Liebe“. Sie ist der Versuch, die ursprüngliche Natur wieder herzustellen und aus zwei eins zu machen.

Die Kloner aber handeln nicht aus Liebe, bringen nichts zusammen, sondern spalten. Sie machen aus einem zwei oder vier oder acht ... Sie sind das dritte Geschlecht des dritten Jahrtausends und auch das greift die Götter an und will selbst Schöpfer sein.

Denn SIE sprach: Lasst mich einen Menschen machen nach meinem Ebenbild. Im Namen der Mutter, der Tochter und des heiligen Gen-Geistes.

Und so kam ich, Siri, als Missbrut in die Welt.

Das zu begreifen und zu benennen machte mir bewusst, wer ich eigentlich war. Dieses neue Klon-Bewusst-Sein gab mir Halt, stärkte mich und machte mich ihr zum ersten Mal überlegen. Nie wieder fiel ich in Ohnmacht, ich hasste meinen Körper nicht mehr und fand mich immer schöner. Ich wusste nun, wer die Schuldige war, und begann meine Mutter und ihre Übermacht zu hassen.

Wo immer ich hinkam oder hinwollte, sie versperrte mir den Weg, auch den Weg zu Kristian. Und ein Hindernis, das stört, muss man beseitigen. Ohne sie gäbe es mich nicht, aber ohne sie gäbe es mich immer noch und zwar allein. Die klaren Klon-Gedanken münden, radikal zu Ende gedacht, bei Lynchjustiz. Und dich zu töten, Iris, wäre kein Mord, es wäre Selbstmord und damit straffrei. Auf der Tatwaffe befänden sich deine Fingerabdrücke und mir wäre nichts nachzuweisen. Das perfekte Verbrechen!

So heftig erschreckten mich meine Mordgedanken, dass ich in den nächsten Wochen besonders lieb zu der ahnungslosen Iris war.

Als Kristian eines Abends anrief, war Iris mit Thomas Weber und einem Musikverleger zum Essen gegangen und so war Siri am Telefon. Sie meldete sich mit „Hallo".

„Hallo, Iris. Hier ist Kristian. Ich bin wieder da. Können wir uns sehen?"

„Kristian, ich habe dich vermisst." Ohne zu überlegen verwandelte sich Siri in Iris. Schon oft hatte sie einige von Iris' Gesprächen belauscht und so wusste sie jetzt, was sie zu sagen hatte, um unentdeckt zu bleiben.

Sie schlug ihm vor, am Samstagnachmittag gegen fünf Uhr vorbeizukommen, da sei Siri mit Janeck unterwegs. Er habe doch einen Hausschlüssel, sie werde im Schlafzimmer auf ihn warten. Fünf Tage zu warten falle ihm schwer, sagte Kristians schöne, erotische Stimme. Aber wenn es eben nicht anders gehe, dann komme er am Samstag. Dann sagte er noch: „Ich liebe dich", und Siris Magen schlug tausend Purzelbäume.

Ihre Hand zitterte, als sie auflegte. Sie schämte sich, so gelogen zu haben, aber vielleicht hatte es so kommen müssen. Verwirrt setzte sie sich an Mister Black und spielte eine lange Zeit und immer mehr freute sie sich darauf, wieder einmal ganz in Iris' Haut zu schlüpfen.

Fahrig wirkte Siri in den nächsten Tagen. In ihre Vorfreude mischte sich – besonders wenn das Telefon klingelte – die Angst, Kristian könnte der Anrufer sein und der Schwindel flöge auf. Und manchmal, wenn sie Iris ansah, errötete sie, weil sie Iris so schamlos hintergehen wollte.

„Brütest du vielleicht eine Grippe aus?", fragte Iris und schaute ihre Tochter besorgt an. „Hast du Fieber?" Sie legte eine Hand auf Siris Stirn.

Mit einer Kopfdrehung entzog sich die Tochter und grinste:

„Fliegende Hitze gibt es scheinbar auch in der Pubertät und nicht nur ...“

„... in den Wechseljahren“, ergänzte Iris lachend. „Du meinst also, ich kann nach München fahren?“

„Absolut! Ich bin ganz bestimmt nicht krank.“

Abends im Bett dachte Siri nur noch an den Samstag. Wenn Iris sich in München im Studio mit einem jungen Pianisten traf, von dem einige ihrer Klavierstücke für eine neue CD-Einspielung aufgenommen werden sollten, würde Kristian bei ihr sein. Und während Iris ihre Musik in München hörte, würden Siri und Kristian sich lieben. Das erste Mal würde sie einen Mann lieben, und sie hoffte, dass es so schön sein würde, wie sie es sich in ihren Tagträumen immer ausmalte.

Dass etwas nicht stimmte, muss er vom ersten Augenblick an gespürt haben, obwohl es dunkel war im Schlafzimmer und ich dein Parfüm benutzt hatte und deinen Morgenmantel trug. Er hat mich geküsst und meine Brust gestreichelt und sofort, als er mich berührte, wollte er mich. Er muss doch gemerkt haben, wie straff meine Haut war und wie ich glühte. Nur mich, die junge Iris, wollte er in diesem Augenblick. Ich habe ihm bestimmt besser gefallen als du! Da bin ich mir ganz sicher! Er hatte wieder diesen begehrlichen Blick. Aber dann hat ihn der Mut verlassen. Als ich ihn aufs Bett ziehen wollte, löste er sich mitten im allerschönsten Kuss aus meinen Armen und knipste das Licht an.

„Siri, das war keine gute Idee“, sagte er. Und auch als ich ihm beteuerte, wie sehr ich in ihn verliebt sei, schüttelte er nur den Kopf. „Den heutigen Nachmittag sollten wir am besten ganz vergessen“, meinte er, „dann werde ich Iris auch nichts verraten.“

Aber er hatte mich doch gerade noch so liebevoll geküsst! Schuld war nur Iris! Sie machte alles kaputt, sicher hatte sie ihm verboten, mich so zu küssen. Und teilen wollte sie ihn nicht, nicht einmal diese erste Liebe gönnte sie mir. Und das würde sie büßen müssen!

Ich verlangte von Kristian, dass er sich nie wieder bei uns sehen lassen sollte. Sonst würde ich sagen, dass er mich ins Bett gezerrt habe, ganz schamlos! Genauso wie er mich geküsst hatte. „Und ich weiß", fügte ich hinzu, „Iris würde *mir* glauben und *dich* zum Teufel jagen. Da kannst du sicher sein. Ihr ist nicht entgangen, wie du mich immer angesehen hast. Also verschwinde lieber freiwillig."

Kristian sah mir an, dass ich es ernst meinte. Er versuchte noch etwas zu sagen, aber ich ließ ihn nicht zu Wort kommen. „Du bist ein elender Feigling", sagte ich, wickelte mich in Iris' Morgenrock und verließ das Zimmer. Er lief mir nicht hinterher, als ich so langsam wie noch nie den Gang hinunterging, er nahm mich nicht noch einmal in die Arme. Ich legte mich auf mein Bett und wartete. Mein Herz klopfte schneller, als ich seine Schritte hörte, aber sie entfernten sich. Erst als die Tür ins Schloss fiel, weinte ich vor Enttäuschung und trommelte wütend auf die Kissen.

In den Tagen und auch noch Wochen danach rannte ich immer zum Telefon, wenn es klingelte. Doch nie mehr hörte ich Kristians Stimme.

Liebeskummer tut besonders weh, wenn man ihn mit niemanden teilen kann und ungetröstet bleibt.

Wenn Siri ihrer Mutter gegenübersaß, fragte sie sich manchmal, wie Kristian wohl mit ihr Liebe gemacht hatte. Und dann ekelte sie sich vor ihren Gedanken und wurde dieses Bild doch nicht los. Sie waren Rivalinnen geworden.

„Hast du Liebeskummer? Bist du vielleicht verliebt?“, fragte Iris plötzlich, während sie zu Abend aßen.

„In wen denn? Zwischen Janne und mir ist alles wie immer!“

„Gibt es vielleicht einen neuen Verehrer?“, fragte Iris.

Siri tat gleichgültig. „Wie kommst du denn darauf?“

Eine unserer Lieblingsopern war die Walküre von Richard Wagner gewesen. Und wenn Sieglinde im ersten Akt den Mann, in den sie sich auf der Stelle verliebte, als ihren Zwillingsbruder Siegmund erkennt, jubiliert sie: „Als mein Auge dich sah, warst du mein Eigen.“ An dieser Stelle hast du mir immer die Hand gedrückt. Vor Rührung und weil die Musik so wunderschön war, hatte ich ebenso wie du Tränen in den Augen.

Als sich Siegmund und seine Schwester allen Gesetzen zum Trotz im Wald lieben, zeugen sie einen Knaben. Die Frucht ihres Zwillingsinzests heißt Siegfried. Seine Geburt war der Beginn der Götterdämmerung, der Entmachtung der alten Götter und ihrer Gesetze.

Sich klonen zu lassen ist nicht nur Missbrut, sondern auch Inzest: Gen- und Gefühlsinzest. Und so entmachten auch wir Klone – vielleicht weil wir zwei Leben in uns haben und von Natur aus schlecht sind – am Ende die, die uns geschaffen haben. Wir läuten die Mütter- und Väterdämmerung ein.

Ich wollte dich stürzen, Iris! Kristian hatte ich nicht erobern können und die bunten Kleider störten dich schon lange nicht mehr. Mit deinen eigenen Mitteln musste ich dich vernichtend schlagen und die bessere Pianistin werden. Doch in deinem Allmächtigkeitswahn dachtest du, ich würde alles nur *für* dich tun.

Iris Sellin hatte eine neue Komposition fertig. „Echoes II" sollte bei Siris erstem großen Soloabend uraufgeführt werden. Die Interpretin würde auch mehrere Trommeln und Klangbäume bedienen, die um den Flügel gruppiert waren, und am Schluss auf einem Spielzeugklavier spielen.

„Als ironischer Kommentar ist das gedacht", erklärte Iris.

„Lächerlich!" Siri fühlte sich verspottet. „Soll ich das vielleicht sein, dieses Kinderklavier? Also, dieses Stück spiel ich sicher nicht." Zum ersten Mal stritten sie heftig über eine von Iris' Kompositionen.

„Komm wieder zu dir", sagte Iris, als Siri sich weigerte, auch nur einen Ton von „Echoes II" zu spielen, und drohte, das Konzert platzen zu lassen.

„Wie kann ich zu mir kommen, wenn ich nie bei mir war?", spottete Siri. Wie sie diesen besserwisserischen Ton hasste!

„Aber Siri, was soll denn das? Es gibt keinen Grund, sich so anzustellen. Bist du vielleicht nervös, weil dir die Zeit zum Proben zu kurz erscheint? Keine Angst, mein Kind, wir haben noch drei Monate Zeit, um das Konzert vorzubereiten."

„Verdammt, ich bin fünfzehn und schon lange kein Kind mehr. Frag doch Kristian!" Siri war darauf aus, Iris zu verletzen.

„Was meinst du damit?" Iris war auf der Hut.

„Frag ihn doch selbst."

„Aber er ist doch gar nicht in Lübeck."

„Seit letzten Monat ist er wieder hier. Hat er dich denn nicht angerufen?" Siri tat ganz überrascht.

„Woher weißt du denn, dass er zurück ist?" Misstrauisch beobachtete Iris ihre Tochter. Als sie Siris zuckende linke Augenbraue sah, wusste Iris, dass Siri ihr etwas verschwieg.

„Hast du mit ihm geschlafen?" Kaum hatte Iris die Worte

gesprochen, erschrak sie über diese Frage und ihre Eifersucht.

„Darauf muss ich dir nicht antworten."

Siris schnippische Antwort reizte Iris. „Du kleines Miststück!", zischte sie. „Er ist doppelt so alt wie du."

„Als ob das eine Rolle spielte. Er ist auch zehn Jahre jünger als du. Du kannst ihn übrigens gerne zurückhaben, so gut ist er im Bett nun auch wieder nicht. Oder sollen wir ihn uns nicht teilen? Vielleicht macht ihn das mehr an als eine allein. Eine Woche ist Duich an der Reihe und dann eine Woche Ichdu."

„Du kleines Monster!" Iris gab ihrer Tochter eine schallende Ohrfeige und erschrak erneut. Genau wie ihre Mutter hatte sie nun reagiert.

„Dann bist du aber die Monstermutter!", sagte Siri verächtlich, stand auf und ging aus dem Musikzimmer.

Als die Tür zuschlug, weinte Iris aus Wut, weil sie wegen eines Mannes die Beherrschung verloren hatte. Er durfte nicht zwischen sie und Siri treten. Nichts würde sie trennen und schon gar nicht eine dumme Schwärmerei. Aber sie würde Siri jetzt trotzdem nicht nachgehen. Sie war schließlich Taiwo und Siri nur Kehinde. Und die würde schon wieder zur Besinnung kommen, immerhin arbeitete Siri wie verrückt auf das Konzert hin.

Musik ist Sehnsucht, hast du einmal gesagt. Nach was hast du dich gesehnt, als du mich komponiert hast? Wirklich nach dem ewigen Leben? Warum komponieren Sie eigentlich?, das werdet ihr Macher der modernen Musik doch oft gefragt. Heute frage ich dich zum letzten Mal: Warum hast du mich komponiert? Diese Harmonien der DNS tun doch in der Seele weh. A, T, G, C sind chemische Misstöne, sie schmerzten auch in deiner Seele.

Iris schlief schlecht, die Ohrfeige tat ihr Leid. Und so stand sie um zwei Uhr nachts auf, ging in Siris Schlafzimmer und setzte sich neben das Bett der Tochter. Hier hatte sie bisher immer Frieden gefunden und beim Anblick ihres Klons gewusst und gefühlt: Alles war gut so, alles war richtig.

Als Iris aber in dieser Nacht in Siris junges Gesicht sah, grübelte sie darüber nach, wann und wo Kristian sie wohl mit Siri betrogen haben mochte. Oder ob Siri nicht nur alles phantasiert hatte. Ihre Tochter hatte sich ja fast zwangsläufig in ihn verlieben müssen. Was Iris gefiel, gefiel eben auch Siri. Ein Herz und eine Seele. Plötzlich spürte sie Tränen in den Augen.

Vielleicht aber konnten zwei Menschen doch nicht *ein* Leben leben? Eine von ihnen sollte besser verschwinden, und zwar die, die dem Leben am wenigsten gewachsen war. Dem alten und kranken Zwilling den Gnadenschuss zu geben wäre wohl am logischsten. Oder sollte sie lieber die junge Iris töten, bevor auch die krank wurde und MS bekam und an der großen Aufgabe zerbrach, Iris' Leben noch einmal spielen zu müssen? Immer schneller kreisten die schwarzen Gedanken und rissen Iris mit sich fort. Ein nie gekanntes mächtiges Gefühl überflutete sie. Nun trübten keine Tränen mehr ihren Blick, nur noch der blanke Hass.

Zwischen meinen geschlossenen Augenlidern blinzelte ich hindurch und beobachtete dich, während du mich schlafend wähntest. Als ich diesen abgrundtiefen Hass in deinen Augen sah, fühlte ich mich endlich ganz, und zwar mit jeder Faser meines Körpers. Ich jubilierte innerlich, denn jetzt war ich jemand. Endlich nahmst du mich ernst. Ich trat zum ersten Mal aus dir heraus und stand dir gegenüber, Iris. Der Zweikampf konnte beginnen.

Zweikampf

Jugend II

Warum fürchtet ihr Einlinge uns? Weil wir mehr sind als Doppelgänger. Und dieses Mehr beunruhigt euch. Vielleicht steckt etwas in uns Klonen, was uns am Ende immer zu Siegern über die Einzelnen macht. Vielleicht ist das die kleine Entschädigung für unsere frühe Entvaterung oder Entmutterung! Ich jedenfalls fühlte dieses Mehr, als ich mich auf mein erstes großes Solokonzert vorbereitete. Ich wollte Iris besiegen und nicht ersetzen. Nicht gleich gut sein, sondern besser! Viel besser!

Es war nicht, zumindest nicht allein, die jugendliche Vermessenheit einer Sechzehnjährigen, die mich so fühlen ließ. Es war der Klon in mir: Der hatte schon von Anfang an – davon bin ich heute fest überzeugt – das ganze Wissen des zweiunddreißigjährigen Iris-Lebens in sich aufgesogen. Und auf Lebenserfahrungen kommt es doch schließlich an, wenn man Musik interpretiert. Was konnte mir schon passieren? Ich hatte ja dieses Mehr und jünger, gesünder und attraktiver als Iris war ich sowieso. Mein wunderschönes blaues Konzertkleid, das sich raffiniert um meine Hüften schmiegte, würde jeden betören und mein Spiel alle in seinen Bann ziehen. Vor dem Konzert fühlte ich mich so schön und so stark und ich glaubte so fest an mich wie noch nie in meinem Leben.

Der Applaus war höflich und kurz. Als Siri vortrat, um sich zu verbeugen, suchte und fand sie Dadas und Janecks Blicke. Sie hielt sich an ihrem Lächeln fest, um nicht zu stürzen.

Iris Sellin saß im Rollstuhl zwischen Thomas Weber und einem berühmten Musikkritiker. Auch deren sechs Hände bewegten sich mechanisch. Iris vermied Siris suchenden ängstlichen Blick und fühlte sich genauso gedemütigt wie ihr Zwilling. Was ein Triumph hatte werden sollen, war nicht einmal eine mittelmäßige Leistung gewesen, sondern eine Niederlage, eine Blamage.

Immer schlechter hatte Siri gespielt, mit bleiernen Fingern und Gelenken und einem leeren Kopf. Wie eine aufgezogene Puppe hatte sie blasse Töne angeschlagen, die Musik war zu einer leblosen Ansammlung von Tönen verkommen.

Hin und her gerissen war ich, wie es jeder guten Interpretin ergeht: Immer soll sie genau den Buchstaben des Komponisten folgen, aber auch der Laune des Augenblicks und ihren Gefühlen gehorchen. Sonst bleibt ihr Spiel leblos. Jede Pianistin ist ein Handelsobjekt des Konzertmarktes, trotzdem soll sie eine unabhängige Persönlichkeit sein: Sklave und Rebell zugleich. Erst das steigert ihren Wert.

Das Musikstück, das ich aufführen sollte, hieß „Dein Leben“ und ich irrte umher inmitten dieser festgelegten Lebenslinien und Lebensnoten. Ich versuchte es als „Mein Leben“ zu spielen, ich wollte den Beifall für mich allein. Aber am Ende war ich nur eine Marionette, die an deinen DNS-Fäden hing, Iris. Und die hatten sich an diesem Abend verheddert. Deshalb bewegte sich die Marionette nicht richtig, deshalb spielte ich nur die Noten vom Blatt.

Nein, Iris, das Lampenfieber war nicht schuld, das ist wirklich zu einfach. Es waren die widersprüchlichen Erwartungen von dir und von mir. Ichdu und Duich flüsterten mir abwechselnd verschiedene Anweisungen ins Ohr. Die verwirrten mich und ich hörte nicht mehr, was ich spielte. Immer mehr Stimmen redeten auf mich ein, aber etwas gewann in diesem Gewirr die Oberhand und wurde lauter und lauter: Und das, Iris, war dein/mein/unser höhnisches Lachen.

Iris hatte jeden Takt mitgezählt, auch für sie hatten sich die Minuten bis zum Schlussakkord zu einer quälenden Ewigkeit ausgedehnt.

Iris schämte sich für ihre Tochter, die so jämmerlich versagt hatte. Sie nahm sich zusammen, um in ihrer Hilflosigkeit nicht loszuschreien. Denn sie wollte ihr Kind da oben trösten und gleichzeitig den Klon auf der Bühne verfluchen.

Das blaue Kleid knisterte, als Siri sich verbeugte. Ihr war kalt und heiß und sie schwitzte. Sie war sicher, dass alle die dunklen Flecken unter den Achseln sahen. Auch sie schämte sich. Am liebsten wäre sie in die Arme von Dada gerannt, doch schnell verbeugte sie sich noch einmal, um den Blicken auszuweichen.

In hunderten von Augen war derselbe Blick. Ich spürte die Gier der Normalen nach dem Zwilling, dem Klon. Sie spießten mich auf mit ihren Blicken wie ein Insekt und töteten mich, um mich – wie meinen geliebten blauen Caligo-Falter – in einem gläsernen Schaukasten von allen Seiten betrachten zu können.

Wir Zwillinge waren schon immer die Abweichung von der Regel. Früher tötete man uns oder setzte uns aus wie Romulus und Remus. Siamesische Zwillinge dienten entweder zur Belustigung oder Abschreckung der Normalen. Zu viele verkamen zu Zirkusnummern oder füllten als namenlose, in Alkohol konservierte Präparate die Regale der Anatomiesäle!

Die moderne Zeit entdeckte die Zwillinge schließlich als „Experimente des Lebens“ und erforschte sie als „lebende Laboratorien“. Die Doppelten sollten helfen, das Unteilbare, das Individuum zu verstehen. Deshalb wurden Zwillingspaare in den Konzentrationslagern der Nazis mit Krankheitserregern geimpft und verglichen, beobachtet und vermessen, gequält und zerstückelt. Was macht den Menschen aus, was seine Rasse, Begabung oder Persönlichkeit? Zwillinge bergen vielleicht die Antwort, auch deshalb wurden wir Klone ausgebrütet.

Dort oben auf der Bühne war ich nicht mehr als ein erbärmliches Schaustück. In dieses Konzert waren keine Zuhörer gekommen, um meinem Spiel und der Musik zu lauschen. Sie begafften nur den Klon von Iris Sellin, verglichen sie und mich. Ich hörte die Einlinge da unten im Saal flüstern und lästern. „Monster“, zischten sie, so wie Oma Katharina „Monster“ gezischt hatte.

Der gequälte Applaus verebbte, als Siri mit steifen Schritten von der Bühne ging. Dann erhoben sich alle wie auf ein geheimes Zeichen hin von den Sitzen und wandten sich Iris Sellin zu. Erneut schwoll der Beifall an. Das Publikum ließ sich nicht abspeisen mit dieser Kopie. Es wollte kein Double, sondern die echte Sellin, die einzige, die wahre.

„Spielen!“, forderte erst eine Stimme, dann viele im Chor. „Spielen, spielen, spielen!“

Iris war überrascht und überwältigt. Thomas Weber redete auf sie ein, während Iris' Augen Siri suchten, aber die hatte die Bühne schon verlassen. Der Kritiker beugte sich zu ihr hinunter und fragte: „Darf ich Sie auf die Bühne fahren?“ Iris nickte.

Er schob Iris im Rollstuhl über eine kleine Rampe auf die Bühne ganz dicht an das Klavier heran. Im Saal wurde es still, die Menschen setzten sich. Mit ihren kranken Händen spielte Iris, was das Publikum erwartete: Passagen aus „Echoes“ und den „Tautropfen“. Sie ließ Akkorde aus ihren Opern-Ouvertüren erklingen und verzauberte sie mit dem von ihr vertonten Troubadour-Lied „Wenn der freude tränen fließen“.

Iris spielte schlechter als ihre Tochter, doch niemand hörte es, weil es niemand hören wollte. Die Aura des Originals vernebelte die Sinne. Es war wie bei einem Bild. Selbst eine noch so perfekte Kopie ist nichts wert und überstrahlt nie das Original.

Das hättest du mir nicht antun dürfen, Muzwi. Hinter der Bühne hörte ich die klatschenden Menschen, die nach der Einzigartigkeit gierten. Aber sie hatten ja Recht. Nur das Wort einmalig macht Sinn. Zweimalig kann kein Mensch sein. Zweimalig, das klingt und ist so widersinnig wie ich selbst.

Ich zitterte am ganzen Leib und hielt mir die Ohren zu, um diesen anschwellenden Applaus, der allein dir, dem Original, galt, nicht hören zu müssen. Klein und elend und von dir verraten fühlte ich mich: Lebenszweck verfehlt, nichtsnutzige Missbrut! Klon kaputt!

Dann stand Janeck plötzlich neben mir. Nicht du warst es, Iris, aber auf dich hatte ich gewartet. Er und nicht du nahm mich in den Arm, um mich zu trösten.

„Janne, lass uns ans Meer fahren“, bat ich, „nur für ein paar Tage.“

Dir, Iris, konnte ich so schnell nicht wieder gegenübertreten.

Langsam bewegte ich mich auf den hinteren Bühnenausgang zu. Ich hoffte immer noch, du würdest mich suchen und finden. Aber ich hatte wohl zu schlecht gespielt, um noch immer dein Leben zu sein.

Die Musikkritiker hielten sich zurück. Viele schrieben sogar fast unerträglich verständnisvoll über Siris „Debüt". Zu hoch sei der Erwartungsdruck gewesen, kein Wunder bei dieser Mutter, deren „bewegendem Auftritt" die meisten mehr Platz einräumten als dem eigentlichen Konzert. Das war doch wenigstens etwas Besonderes und dazu noch etwas fürs Gemüt gewesen. Das Scheitern von Siri Sellin schoben sie auf eine „ungünstige Tagesform" und das Lampenfieber. „Unscharfer Blueprint – Siri Sellins erstes Konzert enttäuschte alle", titelte jedoch ein Journalist, der einen gnadenlosen Verriss schrieb.

„Der nimmt mich wenigstens ernst. Die anderen bedauern mich nur", sagte Siri, als ihr Janeck die Kritiken vorlas. Er nannte es sein „Stelle-dich-der-Wirklichkeit-Training".

Im Strandkorb fragte Janeck die Schwester: „Wirst du wieder auftreten? Willst du es noch einmal versuchen?"

„Vielleicht", kam die zögernde Antwort.

Noch konnte Siri sich ein Leben ohne Musik und ohne Konzerte, ohne Iris und Mister Black nicht vorstellen. Iris, die Zauberin der Töne, hatte einen Bannkreis um sie gezogen. Aber doch fragte Siri sich immer öfter: Wie ist die Welt da draußen, wie ist das Leben außerhalb dieser Grenzen? Ohne sie und in der Freiheit?

„Du kannst jederzeit zu mir ziehen, ich habe noch das kleine Zimmer, das ich freiräumen kann", sagte Janeck. „Hamburg ist sowieso viel besser für junge Leute als Lübeck, da ist mehr los. Es ist eine Stadt, die dich auf andere Gedanken bringt. Und vielleicht verliebst du dich endlich in den Richtigen." Voller Überzeugungskraft strahlte er Siri an.

„Du bist der Richtige, aber der richtige Bruder", sagte Siri vorsichtig.

„Na klar, das ist auf immer und ewig versprochen. Trenn dich endlich von ihr, ich bin dein Egal-was-da-kommt-Bruder."

„Ich weiß nicht, ob ich das schaffe." Siri schaute nachdenklich und bohrte ihre Zehen in den kühlen Sand.

„Du musst es schaffen." Janeck nahm seine Schwester an der Hand und zusammen gingen sie den Strand entlang. Als Siri den Seewind auf der Haut spürte, wurde ihr Kopf endlich leicht und frei.

Jetzt konnten die zwei beiden sogar über den Ausdruck „unscharfer Blueprint" lachen. Das sei immerhin witzig gewesen, fand Janeck. Warum sie denn auch unbedingt dieses blaue Kleid habe anziehen müssen? Er grinste: „Aber das Kleid, das war wenigstens scharf."

Siri hob eine am Strand liegende Qualle auf und warf sie nach Janeck, der seinen Kopf blitzschnell aus der Schusslinie nahm und rief: „Wenn du zu mir ziehen willst, musst du dir das Werfen aber abgewöhnen."

Nach dem Debakel brachte Iris' Gehirn für einige Tage nicht mehr zusammen, was die Augen sahen. Es war zum Lachen, dass Doppelbilder sie quälten, als ihre Doppelgängerin gar nicht da war. Jetzt konnte sie das Duich-Ichdu-Spiel, das Siri nicht mehr mitspielen wollte, ganz alleine spielen! Doch in dieser Solo-Besetzung gab es keine junge Iris. Die zwei Spiegelgestalten waren alt und krank und machten alles doppelt trostlos.

Als Daniela Hausmann ihr von der Reise der Kinder erzählt hatte, war Iris froh gewesen, alleine zu sein und Siri nicht gegenübertreten zu müssen. Wie ihr Auftritt die Tochter beschämt haben musste, wusste sie nur zu genau. Aber Iris hatte den Applaus auch gewollt, einen Applaus wie früher, einen kleinen

Trost. Denn immer stärker hatte sie in den letzten Monaten gespürt, wie sie die Kontrolle über ihren Körper verlor.

Ohne Hilfe das Haus zu verlassen, traute sie sich schon seit mehreren Monaten nicht mehr, nachdem sie zweimal auf der Straße gestürzt war. Die Leute hatten ihren unsicheren schwankenden Gang und die Stürze boshaft kommentiert: „Die ist besoffen!" oder: „Die soll sich schämen, am helllichten Tag so rumzulaufen." Nach diesen demütigenden Erfahrungen hatte Iris beschlossen, auf der Straße nur noch den Rollstuhl zu benutzen. In einer Pressemitteilung hatte sie öffentlich gemacht, dass sie an MS erkrankt sei und deshalb keine Einladungen zu Konzerten mehr annehme. Aber trotzdem wolle sie versuchen, noch so lange wie möglich zu komponieren.

Sie hasste Mitleid, und wie viel Kraft sie die geringste Anstrengung kostete, verschwieg sie sogar Siri. Immer mehr Nervenleitungen waren durch die Entzündungherde unterbrochen oder gestört. An manchen Tagen meinte sie regelrecht zu hören, wo diese Kabelbrände aufflammten und zerstörerisch knisterten. Dann verwickelten sich auch Iris' Gedanken wie unordentliche Wollfäden und sie fand keinen Anfang und kein Ende. Von Zeit zu Zeit rissen die Gedanken mitten entzwei, dann wusste sie nicht mehr weiter, vergaß Dinge und suchte die Zusammenhänge. Wenn Iris ihre Musikeinfälle notieren wollte, traf sie mit der Feder kaum noch die Notenlinien. Daniela half ihr dann und schrieb alles ins Reine. Und nun auch noch dieses Konzert! Die vergangene Aufregung ließ ihre Hände und Beine noch mehr zittern.

Die Medikamente, ihre Musik und auch das Alleinsein taten Iris gut und langsam erholte sie sich. Der Krankheitsschub klang ab und auch die Doppelbilder verschwanden. Und je besser es ihr ging, umso wütender wurde sie auf Janeck. Er sei der Störfaktor, redete sie sich ein, er entfremde ihr Siri. Sie musste ihn wieder einmal ausstechen und ein tolles Geschenk vorbereiten. Und so machte sich Iris daran, ein neues Stück für ihre Tochter zu komponieren.

Du sahst nicht mehr klar und hattest auch nicht mehr genug Kraft für unseren Zweikampf, Iris. Du sehntest dich nur noch nach Ruhe. Und so sollten eine Flöte, eine Klarinette, ein Streichquartett und ein Klavier die Geschichte der Sellin-Zwillinge erzählen, die sich in *Terra Lonhdana*, einem entfernten Land, wiederfinden, wo Frieden herrscht. Mühsam wie noch nie suchtest du die Töne, die du gefühlt hattest, und es gelang dir, eine schmerzhafte Sehnsucht zum Klingen zu bringen. War es die Sehnsucht nach deinem Klon, nach einem neuen Leben? Oder war es zum ersten Mal auch die Sehnsucht nach dem Tod? Deinen ganzen Kummer hast du in diese Komposition gepresst. Dass *Terra Lonhdana* deine letzte Arbeit werden würde, hast du vielleicht geahnt. Aber niemals, dass es auch das allerletzte Stück sein würde, dass ich dir in unserem Leben vorspielen sollte!

Eine Woche später kam Siri zurück. Sie erzählten sich gegenseitig, was sie in dieser Woche gemacht hatten. Vorsichtig vermieden beide, über das Konzert zu sprechen.

Dann aber legte Iris alte Zeitungsausschnitte auf den Tisch. „Das habe ich für dich rausgesucht. Lies doch mal, was für schlechte Kritiken ich ganz am Anfang bekommen habe. Da ging es mir genau wie dir. Das Lampenfieber hatte mich wie eine aufgezogene Puppe spielen lassen. Das passiert jedem einmal und du darfst jetzt nicht aufgeben. Du musst weiterüben, und beim nächsten Mal ...

„Es war nicht das Lampenfieber", sagte Siri. „Und ob es ein nächstes Mal gibt, weiß ich noch nicht."

„Natürlich gibt es ein nächstes Mal." Iris legte ihre Hand auf Siris Schulter. „Ich helfe dir. Ich weiß, wie weh das tut."

„Du weißt nicht, wie weh es *mir* tut." Siri wandte sich ab, wollte nicht länger von Iris berührt werden.

„Ich habe eine neue Komposition ausgearbeitet, ganz speziell für uns. Spielst du sie mir vor?", fragte Iris. Und Siri nickte.

Es war der erste sonnige Sonntag im Mai und helles Frühlingslicht durchflutete das Musikzimmer, als Siri sich vor Mister Black setzte. Wie immer streichelte sie zur Begrüßung das glänzende schwarze Holz. Sie stutzte, als Gummireifen leise auf dem Parkett quietschten. Noch nie hatte ihre Mutter in der Wohnung den Rollstuhl benutzt. Iris Sellin richtete sich im Sitzen auf und legte die beschriebenen Blätter, die sie von ihrem großen Arbeitstisch geholt hatte, auf den Notenhalter.

„Geht es dir so viel schlechter?", fragte Siri.

„Es ist nicht so schlimm. Nur lange stehen kann ich nicht mehr, und das viele Hin- und Hergehen heute Morgen hat mich müde gemacht. Eine reine Vorsichtsmaßnahme." Iris strich die Notenblätter glatt. „Ich bin gespannt, wie es dir gefällt."

Siri rückte den Schemel zurecht und öffnete den Holzdeckel, dann las sie den Titel des Klavierauszugs. „Was bedeutet Terra Lonhdana?", fragte sie.

„Entferntes Land", antwortete Iris.

„Das klingt traurig."

„Vielleicht, aber nur ein wenig. Spiel bitte, Siri, Kind! Du bist doch mein Leben."

Das hättest du nicht sagen sollen. Nicht in diesem Augenblick! Nach dem schrecklichen Konzert erschien mir der Satz nicht mehr wie eine Art Fluch, sondern wie blanker Hohn! Aber das merktest du nicht! Ich schaute auf die schwarzen Tasten, die sich als Zwillinge und Drillinge zusammentun. Ich brachte meine Arme in die korrekte Spielpositur, dann auch die Hände. Spiegelbildlich angeordnet waren sie nun und die Daumen berührten sich in der Mittelachse.

Waren diese gespiegelten Wesen tatsächlich meine Hände? Als ich die ersten Töne anschlagen wollte, gehorchten mir meine Finger nicht, als gehörten sie nicht mehr zu mir. Genau, es waren ja auch Iris' Hände – wie sollte ich mit diesen Händen spielen! Aber wohin waren dann meine eigenen verschwunden? Wo ich sie gerade noch gesehen hatte, fraßen sich schwarze Löcher in die Tasten.

„Sie sind weg", stammelte ich. „Ich sehe meine Hände nicht mehr."

Voller Panik drehte ich mich zu dir um und schrie: „Hilfe!"

Auch du hast aufgeschrien und deinen Rollstuhl so schnell nach vorne gerollt, dass er gegen Mister Black stieß und deine Armlehne einen dicken Kratzer in den schwarzen Holzrahmen schrammte.

„Bewege doch die Finger. Es ist sicher nur ein Krampf, du hast zu wenig geübt! Versuch es!", beschworst du mich.

Aber ich konnte nicht spielen, meine Hände blieben verschwunden.

„Spiel doch, spiel endlich!" Du zerrtest an mir, Panik und Angst waren jetzt auch in deinem Blick. Dann hast du mich losgelassen und bist ins Nebenzimmer gerollt.

In diesem Augenblick dachten wir beide dasselbe: Dein Kind

hatte einen ersten MS-Schub und du warst schuld. Du hattest deiner Tochter diese verdammte Krankheit doch vererbt.

Endlich hattest du Thomas Weber am Telefon. „Siri ist krank, du musst sie sofort zum Arzt bringen“, befahlst du ihm.

Ich starrte noch immer auf die Tasten rechts und links neben den schwarzen Löchern. Komisch war nur, dass ich auf einmal keine Angst mehr hatte, sondern mich frei fühlte. Noch saß ich in einem Käfig, aber die Tür stand offen. Meine Hände hatten sich als Erste davongemacht, sie waren einfach davongeflogen.

Ich solle diesen Vorfall nicht auf die leichte Schulter nehmen, ermahnte mich der Arzt in der Klinik, wo ich einen Tag zur Untersuchung geblieben war. Und er sagte noch, dass die schwarzen Löcher, die ich ihm beschrieben hatte, sich sehr wahrscheinlich als Begleiterscheinungen einer Augenmigräne erklären ließen. Das sei gar nicht so selten nach Überanstrengungen oder bei extremen Angstzuständen und Anspannungen.

Ich fühlte mich so leicht ohne meine Hände. Und weil ich ohne sie nicht mehr spielen konnte, gab es auch keinen Grund mehr, bei dir zu bleiben. Ich konnte dich ja sowieso nicht mehr gesund machen.

„Wirf nicht alles hin! Wir stehen das zusammen durch!“, beschwor Iris ihre Tochter, als sie wieder zu Hause war.

„Ich kann das allein durchstehen“, sagte Siri bestimmt.

„Ich weiß, aber ...“

„Ich will nie mehr wissen, was du weißt!“, schrie Siri. „Immer weißt du alles über mich. Du glaubst, alles zu wissen. Aber ich bin nicht du, begreif das doch endlich!“

Siri stürmte in das Musikzimmer und ihre Mutter folgte ihr mühsam an einem Gehgerät. Sie hörte, wie der Tastendeckel herunterknallte und Siri mit den Fäusten auf Mister Black einschlug und an die Beine des Konzertflügels trat.

Iris Sellin verharrte in der offenen Tür des Musikzimmers. „Er kann doch wirklich nichts dafür“, sagte sie und bemühte sich, Haltung zu wahren. Nur nicht schreien!, befahl sie sich. „Du brauchst ein paar Tage Ruhe. Dann versuchen wir es wieder, Siri. Wir fangen ganz neu an. Und du wirst sehen, wir schaffen es. Heute muss ich noch zu einer Besprechung bei meinem Musikverleger. Thomas kann mich etwas früher abholen, denn du willst sicher alleine sein.“ Sie suchte und fand Siris graublaue Augen. „Zu zweit ist man immer stärker. Ich hab dich doppelt lieb, Duich.“

„Lass diese Spielchen! Ich bin schon lange kein Kind mehr.“

Iris entgegnete nichts und drehte den Lenker des Gehgeräts herum. Ihre Füße schlurften über den Holzboden.

Als Iris die Wohnung verlassen hatte, ging Siri durch sämtliche Räume. Lange legte sie sich unter den schützenden Bauch von Mister Black und strich über die Schrammen an den hölzernen Beinen. „Entschuldige“, murmelte sie.

So lang war ihr der Flur, an dessen Ende ihr Zimmer lag, noch nie erschienen. Siri packte zwei Koffer. Dann telefonierte sie mit Janeck und teilte ihm mit, dass sie in Hamburg Hauptbahnhof um 16 Uhr 45 ankomme, ohne Rückfahrkarte.

Kehinde wollte Taiwo nicht länger folgen. Als die Wohnungstür hinter mir ins Schloss gefallen war, holte ich den Schrei nach, den ich bei meiner Geburt nicht hervorgebracht hatte. Am Anfang seines Lebens schreit jeder Mensch. Und so schrie ich nun umso lauter, denn ich fühlte mich wie neugeboren. Zum Glück war weit und breit niemand auf der Straße.

Vom Bus aus, der Siri zum Bahnhof brachte, sah sie den Turm der St. Petri-Kirche mit der hohen Spitze und den vier kleinen Ecktürmchen. Dort oben in dem Gewölbe hingen vielleicht noch ihre Wunschzettel, das Papier schon ganz vergilbt und die Tinte verblasst, mit der sie die Wünsche in bester Schönschrift aufgemalt hatte. Und Siri weinte, weil alles Wünschen vergeblich gewesen war: Sie würde keine große Pianistin werden und Kristian, ihre erste Liebe, hatte sie nie wieder gesehen und sich in keinen anderen mehr verlieben können. Dieses kribbelnde Gefühl, als sie durch die Öffnung in dem Gewölbe blickte oder Kristian ansah, schien ihr für immer abhanden gekommen zu sein. Auch deshalb liefen ihr die Tränen übers Gesicht.

Unser freier Wille ist doch die großartigste biologische Leistung! Da können einem alle verdammten Gene gestohlen bleiben. Wir können uns ändern, wenn wir nur wollen. So fing ich da an, wo es am einfachsten war: Zunächst strich ich mein Zimmer bei Janeck schwarz und blau an, alle Möbel eingeschlossen. Iris hatte immer nur weiße Wände ertragen. Dann nahm ich mir mein Aussehen vor. Und weil ich überzeugt bin, dass das Äußere auch unser Innenleben beeinflusst, war ich so radikal. Ich ließ mir die Haare raspelkurz schneiden, färbte sie pechschwarz und setzte zum Schluss feuerrote Strähnen hinein. Mit braunen Kontaktlinsen änderte ich meine Augenfarbe.

Vor dem Spiegel übte ich neue Gesten und Bewegungen ein. Weg mit diesem Sellin-Gang, weg mit dieser Kopfbewegung beim Lachen und dem leichten Nasekräuseln. Ich schminkte mir den Mund schwarzrot und zog noch knallbuntere, schrillere Klamotten an als früher. Nur eines zählte: Alles sollte anders werden.

„Normalerweise macht man das mit zwölf oder dreizehn“, grinste Janeck, „aber tob dich ruhig aus. Es wird allmählich Zeit. Aber bitte nicht zu viel Schule schwänzen!“

Ich war sechzehn, als ich mich zum ersten Mal betrank, bis mir schlecht wurde. Ich ging mit Janne und seiner Clique tanzen, und weil ich musikalisch war, lernte ich schnell, mich im Takt der fremden Rhythmen zu bewegen. Ich schlief zum ersten Mal mit einem Mann, einem Freund von Janne, der zehn Jahre älter war als ich und der es mir leicht und schön machte, in den ich mich jedoch nicht verliebte. Es war eine Art Pflichtprogramm, das ich absolvierte. Einen Punkt „normales Leben“ nach dem anderen – oder was ich dafür hielt – arbeitete ich ab. Aber alles, was ich tat, machte mir wenig Spaß. Mit dem freien Willen ist es nämlich so eine Sache. Auch er kann nicht alles und besonders in der Nacht verlieren wir die Gewalt über ihn.

In meinen Träumen gab ich weiter Konzerte und badete im Applaus. Und wenn ich wieder einmal von Iris geträumt hatte, war ich mir am nächsten Morgen sicher, dass auch sie mich im Schlaf gesehen hatte. Ich vermisste Mister Black und Iris so sehr, dass ich vor Heimweh in die Kissen weinte wie ein kleines Kind und Janeck mich trösten musste. Ich solle Iris doch einfach anrufen, riet er mir, als er sah, wie ich unter der Trennung litt.

Niemals, sagte ich. Dieses Mal muss sie mir folgen. Und ich funktionierte, zwang mich regelmäßig in die Schule und lernte fast mechanisch. Doch eigentlich wartete ich nur auf dich, Iris! Du solltest kommen und mich herausholen aus diesem Alptraum.

Siri gewann die Kraftprobe. Nach zwei Monaten rief Iris an und schlug eine Aussprache vor. Siri bestand darauf, dass sie zu ihr nach Hamburg kommen sollte, obwohl Janecks Wohnung im vierten Stock lag und es keinen Fahrstuhl gab. Sie wusste, dass Iris nur noch mit großer Anstrengung Treppen steigen konnte, aber Siri hatte zu sehr Angst, dem Zauber der Zwillingsinsel erneut zu erliegen. Hier mit Janne, der versprach, in seinem Zimmer auf sie zu warten, fühlte sie sich sicher. Hier würde der mühsam antrainierte Schutzpanzer der geballten Zwillingsliebe besser standhalten. Iris schlug vor, gleich am nächsten Tag abends um sechs Uhr vorbeizukommen. Thomas Weber würde sie mit dem Auto fahren.

In der Nacht schlief Siri kaum, nicht nur weil es ein selten heißer Julitag war. Immer wieder spielte sie die bevorstehende Szene durch: Wie sich Iris' Augen beim Anblick der Tochter vor Entsetzen weiten würden und was sie ihr entgegnen wollte.

Iris kam sehr pünktlich. Als Siri die Tür öffnete, schaute Iris so entsetzt, wie die Tochter gehofft hatte. Sprachlos war sie und nur mühsam hielt sie ihre Tränen zurück. Das entschädigte Siri für die vielen Tränen, die sie in ihrer Einsamkeit geweint hatte.

„Erkennst du mich noch, Iris?", fragte sie mit ihrer scharf klingenden neuen Stimme. Iris konnte nicht einmal nicken, so sehr stand sie unter Schock.

Nachdem sie sich an den großen Küchentisch gesetzt hatten, schenkte Siri ein Glas Mineralwasser ein, das Iris gierig trank.

„Keine Angst, Muzwi, ich bin immer noch dein Genotyp", sagte Siri. „Nur die äußeren Einflüsse haben sich leicht verändert. Magst du diesen neuen Phänotyp etwa nicht? Siri als farbenprächtiger Iris-Mischmasch!" Sie grinste. „Ich habe deine Lektionen gut gelernt. Zwischen Ordnung und Chaos fängt die Musik an, hast du einmal gesagt. Zwischen Ordnung und Chaos fängt aber auch das Leben an. Ich durchlebe jetzt das Chaos, ich muss viel nachholen. Die genetische Geschichte ist schließlich auch nicht voraussehbar, selbst Klone können unberechenbar sein und aus der Art schlagen. Da hast du dich geirrt. Ich bin ein Fehler."

„Du bist nicht aus der Art geschlagen und du bist auch kein Fehler", sagte Iris fast liebevoll.

„Doch, und zwar von Anfang an. Warum lebe ich überhaupt? Sag es mir endlich einmal ganz ehrlich." Siri klang hart. „Aber warum frage ich schon wieder, was ich doch längst weiß. Nicht Liebe hat mich in die Welt gebracht. Eine solche dumme Liebe war ja unter deiner Würde. Du wolltest ganz sicher sein. Deshalb dieser verdammte Inzest!"

„Ich liebe dich doch. Du bist ungerecht", flüsterte Iris und senkte den Kopf.

„War das, was du getan hast, denn gerecht? Wurde es mir gerecht? Ein kalkulierter Mensch bin ich, voraussehbar und berechenbar von Anfang an. *Deinem* Lebensprogramm hast du mich unterworfen, gnadenlos. *Dein* Programm bestimmte alles."

„Aber Siri, warst du denn so unglücklich? Was ist daran so schlimm, dass ich dich wollte und dir alle Möglichkeiten gab? Jeder Mensch sucht sich in einem anderen, das ist Liebe. Es könnte so schön sein, gerade wenn du älter wirst und alles besser verstehst. Auch dass bei allen Eltern und Kindern und nicht nur bei uns solche Krisen zum Erwachsenwerden gehören."

„Vielleicht leben Klone nur in Krisen."

„Hör auf, alles lächerlich zu machen", sagte Iris. „Die Opferrolle passt nicht zu dir!"

„Weißt du, was wirklich lächerlich war?“ Siri beugte sich zu ihrer Mutter hinüber. „Ich habe lange Zeit geglaubt, Professor Fisher wäre mein richtiger Vater.“

„Aber Siri, das ist doch lachhaft. Ich war immer ehrlich zu dir. Ich habe dich nie angelogen.“

„O doch, du hast mich belogen, weil du mir verschwiegen hast, was für ein Monsterpaar wir sind. Begafft und bestaunt von allen! Diese Gier der Menschen, deinen Klon versagen zu sehen, davon hast du mir nichts gesagt. Darauf hast du mich nicht vorbereitet! Und als es herauskam, hast du mich allein gelassen und auch noch für sie gespielt.“

Iris versuchte ruhig zu bleiben: „Das war falsch, ich weiß, aber Siri, hör mich an ...“

„Nein, ich will dich nicht mehr anhören.“ Siri ließ ihre Mutter nicht ausreden und hielt sich die Ohren zu. „Ich höre nur noch auf mich. Und vor allem einen Satz will ich nie wieder hören: Du bist mein Leben, du bist mein Leben ...“

Jetzt wurde Iris lauter: „Erinnere dich doch an die schönen Zeiten! Du hast alles von mir bekommen, Liebe und Talent und Förderung. Du warst zufrieden und glücklich. Und was tust du damit? Du wirfst nicht nur alles weg, du machst es auch schlecht. Du bist, verdammt noch mal, ein undankbares ...“ Iris schluckte das Wort, das sie sagen wollte, gerade noch hinunter.

„Geschöpf!“, schrie Siri. „Bleibt dir das Wort jetzt im Hals stecken? Traust du dich nicht, die Wahrheit zu sagen? Hast du Angst bekommen vor deinem Geschöpf, dieser missratenen Missbrut? Erstickst du an ihm? Tötet es dich am Ende?“

Siris Gesicht verzerrte sich und plötzlich hielt sie das Obstmesser ganz dicht an Iris Hals. Sie wusste nicht, wie es in ihre

Hand gekommen war. Gerade noch hatte es doch in der Schale mit den Äpfeln gelegen.

„Siri, nicht, bitte!", flehte Iris.

Dann war es still, bis das Messer auf dem Steinfußboden laut aufschlug. Siri atmete tief durch.

„Ist es nicht so geworden, wie du es geplant hattest, dieses Geschöpf?", fragte sie ihre Mutter. „Willst du es am Ende doch verwerfen? Wartet da vielleicht noch tiefgefrorener Ersatz?" Siris Stimme klang spöttisch.

„Es gibt nur dich, hör bitte auf ..."

„Schade, schade! Denn dann hätte ich jetzt den Drilling austragen können. Es gibt immer noch eine Steigerung. Erst eins, dann zwei, dann drei: Hoppla, da kommen die Sellin-Drillinge! Drei Generationen an einem Tisch, Familien-Klon-Treffen!"

Iris erinnerte sich an die Worte ihrer Mutter: Sie wird dich zerstören. Herzloser ist sie auf jeden Fall. In ihrem Kopf verschlang sich alles, was sie sagen wollte, zu einem wirren Gedankenknäuel. Und so erfuhr Siri nicht, wie sehr Iris sie trotzdem liebte und wie Leid es ihr tat, dass alles so gekommen war. Sie stammelte nur: „Warum bist du so gemein?"

Iris klang so hilflos und jämmerlich und saß so zusammengesunken da, dass Siri verstummte.

„Es ist alles zu viel", weinte Iris. „Ich kann nicht mehr klar denken. Die MS zerstört auch mein Gehirn. Ich kann nicht mehr komponieren. Verlass mich nicht. Ich hab doch nur dich."

Doch Siri blieb hart, gab nicht nach, obwohl Iris' Anblick sie mitten ins Herz traf.

„Als ich dich gebraucht habe, warst du auch nie da", warf sie Iris vor. „Ausgesperrt hast du mich und ich habe verzweifelt an deine Tür getrommelt. Nie warst du da, wenn es mir schlecht ging. Warum soll ich jetzt bei dir bleiben? Ich bin doch wie du, also verhalte ich mich genauso wie du. Herzlos. Wenigstens in diesem Punkt bin ich voll gelungen!“

„Ich möchte jetzt gehen“, sagte Iris. „Es ist so sinnlos, uns nur zu beschimpfen. Vielleicht können wir in Lübeck weiterreden, an einem anderen Tag?“

Siri antwortete nicht. Stumm brachte sie Iris zur Tür. Als sie sah, wie mühsam ihre Mutter die Stufen hinunterging, schlug sie die Tür schnell zu.

Fast wäre ich wieder zur Kehinde geworden, wäre die Treppe hinuntergerannt und dir gefolgt. Erst als die Tür ins Schloss fiel, war ich vor dir sicher.

Ich wartete hinter dem Vorhang, bis ein Motor angelassen wurde und Thomas Webers Auto abfuhr. Erst dann öffnete ich das Fenster und schaute dem Fahrzeug nach, bis es um die Ecke verschwunden war.

Ich weinte nicht, weil ich nicht weinen wollte. Aber ich fühlte mich auch nicht als Siegerin in diesem Zweikampf. Nur elend war mir. Als ich Janecks Schritte im Flur hörte, ging es mir wieder besser. Nein, ich war nicht allein, aber du, Iris, warst es! Und das geschah dir ganz recht.

SIE hatte sich über alle erhoben und so hoch oben ist es immer einsam. Göttin zu sein hat einen hohen Preis.

Zu Siris siebzehntem Geburtstag schenkte Janeck ihr eine Staffelei, Pinsel und Farben. „Versuch's mal“, sagte er. „Farben sind manchmal wie Töne. Es gibt viele Leute, die sehen Musik in Farben. Und ein Bild ist auch eine Komposition, genau wie ein Musikstück.“

Siri begann zu malen und entdeckte so ihre Hände ganz neu. Plötzlich liebte sie diese kräftigen Finger. Sie konnten zupacken und waren genau richtig, um Leinwände zu spannen, Farben zu mischen und die großen Pinsel zu führen.

Nach einigen Tagen erst holte Siri das flache Paket aus der Kommode, das dort seit ihrem Geburtstag ungeöffnet gelegen hatte. Iris hatte es ihr geschickt. Es enthielt die Originalnoten der „Tautropfen", sonst nichts, keine einzige Zeile. Iris und Siri hatten sich nach ihrer Zusammenkunft noch nicht wieder getroffen. Auf Nachrichten von Iris auf dem Anrufbeantworter hatte Siri nicht reagiert. Nur über Dada hatte sie erfahren, dass sich Iris' Zustand in den drei Monaten nach ihrem Besuch weiter verschlechtert hatte.

Blatt für Blatt nahm Siri sich die „Tautropfen" vor, schnitt und faltete und klebte die Noten und Notenlinien neu zusammen. Diese Collage übermalte sie mit kräftigen, breiten schwarzen und blauen Pinselstrichen, Kreisen und Kringeln. Ihre Bewegungen folgten dabei dem Rhythmus der Musik, die sie kannte, seit sie zu leben begonnen hatte, und die sie in ihrem Innern immer noch hörte.

In meinen Tagträumen trafen sich die Sellin-Zwillinge sehr oft. Denn wir mussten ja zusammen auftreten. Eine begehrte Zirkusattraktion waren wir geworden. Begleitet mich doch in eine unserer Vorstellungen, liebe Einlinge. Ihr werdet euer blaues Wunder erleben:

„Achtung! Achtung!", ertönt der Ansager. „Die siamesischen Zwillinge, Iris und Siri, die zweiköpfige Musikerin mit den vier Händen, treten gleich ins Rampenlicht."

Gleich haben wir unseren letzter Auftritt. Doch still jetzt, der Ausrufer ist wieder an der Reihe.

„Achtung, meine Damen und Herren! Die Monsterschau beginnt. Wir bieten Ihnen eine Weltsensation. Sie sehen heute die siamesischen Zwillinge des 21. Jahrhunderts. Vorhang auf für unser Klon-Paar! Hahaha, nicht diese bunten Clowns sind gemeint, sondern Klone. Ich buchstabiere K-L-O-N-E. Applaus für unser Klon-Paar Siri und Iris!

Beachten Sie die geschickte Wahl der Namen und die Ähnlichkeit vom Kopf bis zum Zeh. Wussten Sie, dass eineiige Zwillinge nicht nur dieselben Fingerabdrücke, sondern auch dieselben Hirnstromkurven haben? Manchmal blitzt es zwischen ihren Köpfen auf. Vorsicht, Hochspannung! Gedankenübertragung! Kommen Sie ihnen dann nicht zu nahe. Mensch oder Maschine?

Während Siri und Iris in der Manege herumgehen – doch Sie dürfen sie anfassen, liebes Publikum –, erzähle ich Ihnen kurz die Geschichte der siamesischen Namensgeber Chang und Eng. Diese Brüder – sie waren vom Brustbein bis zum Nabel zusammengewachsen – wurden im Jahre 1811 in Siam, dem heutigen Thailand, geboren. Deshalb gingen sie als siamesische Zwillinge in die Geschichte ein und bereisten als Zirkussensation Amerika. Jeder heiratete eine Frau und jeder zeugte mehrere Nachkommen. Als Chang starb, folgte sein Bruder Eng ihm wenige Wochen später nach, doch bis heute überleben sie, wenn auch nur als Fachbegriff, hahaha!

Was aber im Jahr null zusammenwuchs, wollen wir heute trennen. Werden Sie nun Zeuge dieses spannenden Zweikampfes: Individuum oder nicht, teilbar oder unteilbar, das ist hier die große Frage. Iris und Siri werden uns etwas vorspielen: mit vier

Händen und einem Kopf oder mit zwei Händen und zwei Köpfen oder sogar vier Händen und einem Kopf – alles ist möglich bei dieser Sorte.

Beachten Sie bitte die psychischen Fesseln. Diese Verbindung ist stark, noch schlingt sie sich locker um die Hälse unserer beiden Pianistinnen. Sie müssen genau hinschauen und brauchen etwas Phantasie. Nein, meine Dame in der ersten Reihe, es ist keine Nabelschnur, diese Fesseln sind aus einem anderen, sehr viel haltbareren und dehnbareren Stoff gemacht, der klonigen Zwillingsliebe.

Jede hat nun an ihrem Konzertflügel Platz genommen, immer noch verbunden durch dieses dünne, fast unsichtbare Band. Mit jedem Akkord werden die Konzertflügel jetzt weiter auseinander rollen und so das Band zerreißen. Doch Achtung, Lebensgefahr! Falls die Trennung nicht rechtzeitig gelingt, könnten sich unsere Künstlerinnen strangulieren. Oder reißt jeder Klon in der Mitte entzwei? Hahaha! Sie sind schließlich genau gleich stark und gleich schwer. Gen oder nicht Gen, Verzeihung, ich meine gehen oder nicht gehen, das ist hier die Frage. Aber ich schweife ab.

Die bekannte Iris Sellin wird Ausschnitte aus ihren Eigenkompositionen ‚Echoes' und ‚Tautropfen' spielen. Die nicht minder bekannte Siri Sellin improvisiert dazu. Werden Sie nun Zeuge dieser Welturaufführung, meine Damen und Herren. Was sonst in Operationssälen auf blutigste Weise versucht wird und oft genug misslingt, lösen wir heute auf unterhaltsame Weise in einem Konzert. Wir setzen auf die Kraft der Musik!

Ich bitte nun um Ruhe. Die erstmalige vollständige Trennung der siamesischen Zukunftszwillinge beginnt. Ich gebe jetzt das Zeichen: Achtung, Klon, los!

Der erste Akkord setzt ein. Das psychische Tau spannt sich. Immer mehr spannt es sich. Wer hört zuerst auf zu atmen? Iris oder Siri? Iris bäumt sich auf. Die jüngere Siri lässt die Akkorde erbarmungslos niederprasseln, ihr Flügel macht einen Satz. Doch auch auf der anderen Seite tut sich etwas. Iris Sellin setzt alle Register ihres Könnens ein: Cluster, Akkorde, Flatterzungen. Die Verbindung ist bereits jetzt zum Zerreißen gespannt, doch noch hält sie.

Siri läuft blau an. Keine Angst, Sie da in der ersten Reihe, bleiben Sie ruhig sitzen. Kein Blut wird spritzen, diese Fesseln sind blutleer. Bahnt sich jetzt die Entscheidung an? Ja, ja, die Fessel reißt. Bravo! Aber was ist das? Iris Sellin rutscht vom Klavierstuhl. Sie atmet scheinbar nicht mehr. Doch keine Panik bitte, sie röchelt noch. Unsere Helfer werden sie sofort aus der Manege tragen, ein Notarzt steht bereit.

Beifall, meine Damen und Herren, für diesen aufregenden, spannenden Zweikampf. Siegerin ist Siri Sellin, die sich lachend verbeugt.“

Ich versteckte mich in Hamburg vor ihr. Aber ich entkam Iris nicht. Als sie noch kränker wurde, holte mich das Mitleid zu ihr zurück. Liebe ist stärker als Vernunft und die Klon-Liebe bezwingt jeden freien Willen. Als das neunzehnte Jahr begann, nahm mich mein/dein/unser Doppelleben wieder gefangen.

Doppelleben

Das zweite Jahr null

Ihr Einlinge könnt ja so schrecklich spitzfindig sein, wenn es um uns Klone geht. Lange vor meiner Geburt sprach sich ein Jurist mit folgenden schlauen Überlegungen gegen unser Verbot, also für uns, aus: „Man frage dereinst einen der zukünftigen Klon-Menschen, ob er lieber nicht geklont worden wäre. Er wird die Frage als Zumutung zurückweisen ... Denn die Alternative für einen so produzierten Menschen lautet nicht ‚geklont oder nicht geklont', sondern ‚geklont oder nicht existent'."

Woher nur habt ihr diese verdammte Sicherheit genommen, wir seien lieber geklont als tot? Seid bitte nicht so blauäugig und schließt von euch auf uns *Blueprints.* Denn ihr habt etwas, was wir verdoppelten Wesen nie haben werden: diese absolute Sicherheit, ein „Ich" zu sein. Und dieses sichere Wissen von euch Einlingen gründet sich nicht auf Überlegungen, es ist einfach da. Tief in euch drin und von Anfang an ist es da, ohne dass ihr darüber nachdenken müsst. Ihr seht und spürt dieses „Ich", sobald ihr die Welt und euch wahrnehmt. Ihr atmet die Sicherheit, einzigartig zu sein, in jeder Sekunde eures Lebens ein. Der Klon hat kein Ich.

Ich war immer nur sie: Iris rückwärts gelesen, ein Geschöpf von ihren Gnaden. Ich kam mir vor wie jemand, der eine riesige russische Puppe aufschraubt. Jede Puppe darin sieht aus wie die andere, nur immer kleiner werden diese hölzernen Hüllen und am Ende ist nichts mehr da. Und dieses Nichts war ich.

Ein Nichts zu sein, hält niemand lange aus. Ich habe gerade

einmal ein halbes Jahr durchgehalten, dann bin ich an einem kalten, klaren Januartag in den Zug gestiegen und nach Lübeck gefahren. Ich musste Iris sehen, weil ich mich nicht mehr fühlte.

Blueprints are true, denn Blau ist die Farbe der Treue. Das blaue Blümelein heißt Vergiss-mein-nicht. Vergiss-mein-nie! Sonst stirbst du, mein Leben!

Als wir uns bei meinem ersten Besuch nach meiner Flucht in Lübeck umarmten, war es, als ob sie und ich zusammenwuchsen zu diesem mannweiblichen Wesen, das sich kugelnd fortbewegt. Und wenn jede Hälfte in eine andere Richtung will oder muss – die eine ins Leben, die andere in den Tod –, dann bleibt dieses Wesen stehen. Ich hatte keine Kraft mehr, mich zu wehren. Ich stand still, aber in diesem Stillstand war keine Ruhe, sondern Verzweiflung. In diesem Augenblick bereute ich es, zurückgekommen zu sein, und wollte fortrennen. Doch meine bleiernen Füße bewegten sich nicht. Dieses unbewegliche Wie-angewurzelt-Sein kannte ich aus einem Traum, in dem ich wie Iris in einem Rollstuhl gesessen hatte, aber in einem ohne Räder.

Immer wieder riss ich mich von ihr los und kehrte mit schlechtem Gewissen zurück nach Hamburg zu Janeck. Und wenn ich an sie dachte, überfiel mich panische Angst. Iris' Siechtum hielt auch mein Leben an.

Neurotische Depression lautete das Urteil eines Psychologen, den Janeck um Rat fragte, weil er nicht mehr weiter wusste und seine Angst um Siri immer größer wurde. Ungewöhnlich sei so ein Verhalten nicht, wenn ein naher Angehöriger chronisch erkrankt sei, erklärte der Fachmann weiter. Aber in diesem Fall sei eben alles verstärkt. Die Kranke sei schließlich Siris Mutter *und* Siris Zwilling. Ihn wundere es nicht, dass sie in so einer Situation immer stärkere Schuldgefühle entwickle, weil sie noch gesund sei, und immer mehr mitleide, ja, fast an Stelle der anderen leide.

„Was kann ich denn tun?“, fragte Janeck.

„Einfach nur für sie da sein, das ist sehr, sehr viel.“

Janeck war schon die ganze Zeit für sie da gewesen. Er hatte alle Hausarbeiten erledigt und dafür gesorgt, dass sie pünktlich in der Schule war und das Nötige lernte. Er hatte sie auf Partys und Kunstausstellungen mitgenommen. Siri war herumgestanden, hatte Konversation gemacht, aber nichts und niemand konnte sie erreichen und bewegen. Nur wenn sie malte, entspannten sich ihre Gesichtszüge, und dann fand Janne auch seine kleine Schwester wieder, mit der er die verbotenen Streifzüge unternommen und mit der er am Meer in den Strandkörben gesessen hatte.

Doch nun entfernte sich Siri auch immer mehr von Janeck. Wenn sie nicht in der Schule war oder ihre Mutter besuchte, lag sie am liebsten auf dem Bett und hielt stundenlang stumme Zwiesprache mit einem Bild an der Wand. Janeck hatte es einmal abgehängt, als sie nicht zu Hause war. Da hatte Siri ihn angeschrien wie noch nie: „Häng es sofort wieder auf! Sonst gehe ich für immer weg.“

Johannes war in dieser Zeit mein treuester Gefährte und Vertrauter geworden. Ich hatte das Gefühl, dass nur er mich noch verstehen konnte, obwohl er doch nur auf diesem Kupferstich existierte. Sein Bild hatte ich in einem meiner vielen Zwillingsbücher gefunden und ausgeschnitten. Er passte in den schönen alten Holzrahmen, den ich mit Iris einmal für das Foto „Iris-Madonna-mit-Siri“ gekauft hatte. Johannes hing gerade so hoch über dem Fußende meines Bettes, dass ich ihn liegend bequem sehen und mich mit ihm unterhalten konnte.

Johannes war der ungleiche Zwilling des Lazarus Coloredo und die Brüder lebten im 17. Jahrhundert in Genua. Lazarus, der normal groß gewachsen war, trug Johannes, den kleinen Zwilling, auf seiner Brust. Schlaff hing der Kopf dieses Torsos nach hinten und der Mund stand offen. Johannes schien zu schlafen, jedenfalls waren seine Augen immer geschlossen. Arme und Beine baumelten wie die Gliedmaßen einer Stoffpuppe herab.

Ein Parasit war dieser halbe Mensch, der nicht selbst aß, sondern sich über den großen Zwilling ernähren und sich von ihm durchbluten ließ. Autosit nennen die Fachleute dagegen jemanden wie den Lazarus, der den anderen nicht braucht und ihn beherrscht. Johannes war nur ein geduldeter Schmarotzer.

Kein Buch, das Johannes' Geschichte erzählte, beantwortete die vielen Fragen, die ich ihm immer wieder stellte:

– Hast du jemals deine Augen geöffnet und ihm ins Gesicht gesehen?

– Habt ihr miteinander geredet?

– Wolltest du die Welt nicht sehen oder warst du blind?

– Konntest du ihn durch deine Gedanken beeinflussen?

– Habt ihr euch geliebt oder gehasst?

– Hattest du eigene Gefühle oder fühltest du nur durch ihn und alles mit ihm?

– Warst du auch so gefühllos wie ich?

Doch Johannes blieb stumm. Er konnte mir die Antworten nicht geben, die ich suchte. Kein Mensch wusste die Antwort, auch nicht Jahrhunderte später im Zeitalter der geklonten Parasiten. Ich wusste nur eines sicher: Die Sellin-Zwillinge hatten keine Zukunft mehr, das schwarze Loch Gegenwart wurde immer größer und verschlang uns. Auch ich kam von Iris nicht los, mein Leben hing an ihrem wie Johannes' Leben an dem des Lazarus.

Als Iris Sellin von einer berühmten Komponistin langsam zu einem Pflegefall geworden war, hatte sich die Öffentlichkeit anfangs sehr für ihr Schicksal interessiert. Alle hatten bedauert, dass sie nicht mehr komponierte, und den großen Verlust für die neue Musik beklagt. Die Anteilnahme an der heimtückischen Krankheit hatte eine Mischung aus Mitleid und Sensationsgier begleitet. Der Umsatz ihrer CDs war daraufhin stark angestiegen. Anlässlich ihres fünfzigsten Geburtstags war die „herausragende Vertreterin der neu-klassischen Musik" sogar wieder entdeckt worden. In Konzertsälen erklang ihre Musik noch öfter als zuvor, unzählige Artikel erschienen über sie.

Siri hatte alles gelesen und wunderte sich. Viele Frauen erhoben ihre Mutter zur Kultfigur und feierten sie nicht nur als Komponistin, sondern auch als couragierte „Vorkämpferin der modernen Jungfernzeugung" und der „biologischen Selbstverwirklichung". Einige wenige hatten gefragt, was denn mit der Klontochter sei. Trete die denn nicht in die Fußstapfen der Mutter?

Viele kamen zu mir, weil Iris schon lange keine Interviews mehr gab: Journalistinnen, Musikstudenten, Verehrer von Iris' Musik. Und alle wollten sie etwas Persönliches von mir hören über sie und unsere Beziehung. Ich lehnte alle Anfragen ab, konnte noch nicht über sie/mich/uns reden. Heute schreibe ich um mein Leben, das mir damals entglitt.

Ich war achtzehn und spielte in meiner Phantasie mit dir, Iris, noch einmal das Ichdu-Spiel. Doch unser Text hatte sich gründlich verändert:

„So wie ich wirst du auch einmal aussehen, wenn du groß bist. Und dann bist du die Kranke“, sagtest du.

„Ich werde noch hässlicher und kränker!“, rief ich stolz und fragte doch ängstlich: „Bist du dann schon tot?“

„Natürlich!“, lachte Iris.

„Ich will nicht, dass du stirbst. Du sollst nie sterben!“, flehte ich.

Du nahmst mich in den Arm und sagtest: „Weil es dich gibt, sterben wir zusammen. Denn ich bin du und du bist ich.“ Nun schlotterte ich vor Angst.

Als ich mit neunzehn endlich das Abitur bestand, hatte ich keine Kraft mehr. Mühsam schleppte ich mich zu Kursen an der Kunsthochschule, die Janeck für mich ausgesucht hatte, um meinem Leben wenigstens ein zeitliches Gerüst zu geben. Doch im Herbst packte ich sogar alle meine Bilder, Pinsel und Farben weg.

In den beiden letzten Jahren ihres Doppellebens stand Siri oft vor dem Spiegel und schminkte sich lange und sorgfältig. Aber was sie sagte, wenn sich ihre Lippen dabei bewegten, fand Janeck nie heraus. Siri hatte es aufgegeben, sich die Haare zu färben, sie zog keine knallbunten Kleider mehr an, sondern trug fast nur Schwarz und Grau wie Iris.

Als Janeck sie fragte, warum sie nur noch diese langweiligen Klamotten trage, hatte Siri ganz steif und mit zuckender Augenbraue dagestanden. „Wie kann jemand aus seiner Haut heraus“, sagte sie, „wenn es doch gar nicht ihre eigene Haut ist?“

Sie verglich ihr Spiegelbild immer wieder mit den Fotos von Iris, als diese wie sie neunzehn, zwanzig Jahre alt gewesen war. Manchmal spielte sie Iris, so wie sie damals im Krankenhaus die alte Oma Katharina hinters Licht geführt hatte. Kurz nach dem Rummel um den fünfzigsten Geburtstag der Komponistin Sellin war Siri in ein Musikgeschäft gegangen und hatte als Iris Sellin Autogramme gegeben. Niemand enttarnte die Doppelgängerin, aber sie konnte sich nicht mehr darüber freuen. Die Zeit der Scherze war vorbei.

Siri war eine Grenzgängerin: Mühsam balancierte sie auf der Grenze, die zwischen den zwei Leben verlief. Schmal war dieser Grat und manchmal verlor sie das Gleichgewicht und stürzte ab, entweder in das Leben ihrer Mutter oder in ein dunkles Nichts.

Meine Wut blitzte nur noch selten auf, aber dafür war sie umso zerstörerischer und wilder. Beschmutzt und verdreckt, missbraucht und geschunden von dir, Iris, fühlte sich dann deine Missbrut! Und ich erinnerte mich daran, wie ich das Obstmesser gezückt und dich bedroht hatte. Und wieder hörte ich das metallische Klirren des Messers auf dem Fußboden.

Doch nun stand ich allein vor dem Spiegel und führte die Spitze der Schere meinen linken Arm entlang, von der Hand bis zu Schulter. Als ich das kalte Metall auf meinem Hals spürte, bekam ich eine Gänsehaut. Jetzt das Messer dorthin führen, wo mein/dein/unser Herz klopfte. Ein Stoß mitten hinein: das Ende des doppelten Lottchens. Ich kicherte über meinen Scherz, die scharfe Kante kitzelte mich am Hals.

Im einundzwanzigsten Jahr kam Professor Fisher zu einem Mediziner-Kongress nach Hamburg. Er hatte Iris seinen Besuch angekündigt, aber sie wollte ihn nicht sehen. Als Fisher nach Siri fragte, hatte Daniela Hausmann ihm Janecks Telefonnummer gegeben.

Nach Fishers Nachricht, er würde Janeck und Siri gerne zu einem Abendessen einladen, meldete sich Janeck sofort im Hotel. „Ich werde versuchen, Siri zu überreden", versprach er dem Arzt. Er hoffte inständig, dass das Zusammentreffen mit Fisher bei seiner kleinen Schwester irgendetwas auslösen könnte, das half, diese Trostlosigkeit zu vertreiben. Er verschwieg Fisher nicht, wie es um Iris' Tochter stand.

„Ich komme selbstverständlich mit", versprach er Siri, als sie dem Treffen fast gleichgültig zugestimmt hatte.

Nicht weit von Janecks Wohnung gab es ein italienisches Lokal, das nicht zu chic und auch nicht lärmig war. Etwas steif standen sich die drei gegenüber, aber dann sagte Professor Fisher zu Siri: „Ich wollte Sie einfach sehen. Also bestimmen Sie heute Abend allein, wo wir sitzen, was wir essen und worüber wir reden."

Über vieles unterhielten sie sich, über die Schule und Bücher, über den letzten tollen Film und Fishers Kongress, aber nie über Iris. Siri hatte für jeden ein Pasta-Gericht ausgesucht und den passenden Rotwein. Sie wurde immer lebhafter, als der Wein ihr ein wenig zu Kopf stieg. Janeck war erleichtert. Er drückte Siri einen Kuss auf die Wange, weil es so ein toller „Siri-Auftau-Abend" sei. Auch Fisher lachte mit und legte seine Hand auf ihren Arm.

Plötzlich wurde Siri ernst. „Sie haben schöne Hände, so schlanke Finger, Professor!", sagte sie. „Ich habe oft von Ihren

Händen geträumt, seit ich Ihnen zum ersten Mal begegnet bin. Erinnern Sie sich auch an unser erstes Treffen?" Fisher nickte.

„Gerade elf, nein, zehn war ich", fuhr sie fort, „und ich übte so schrecklich viel, weil ich doch Pianistin werden wollte wie Iris, nur noch besser." Siri nahm seine rechte Hand, legte sie sanft an ihre Wange, und fast hörte es sich an, als ob sie ein Kinderlied sänge: „Mein Vater, mein Vater hat so schöne Hände, hat so schöne Hände ..." Unangenehm berührt und hilflos schaute Fisher zu Janeck hinüber.

Als Siri seinen Widerwillen spürte, hielt sie seine Hand nur noch fester: „Sie sind doch eine Art Vater für mich? Oder etwa nicht?" Ihre Stimme wurde aggressiv. „Ist es Ihnen vielleicht unangenehm, mich zu berühren? Spüren Sie denn Ihr Geschöpf nicht gern? Mache ich Ihnen Angst?" Dann war sie wieder ganz sanft. „Lieber Papa", flüsterte sie fast. „Sie mit Ihren schönen Händen! Wo waren Sie, als ich Sie vermisst habe? So oft habe ich damals einen Vater vermisst, obwohl Iris doch alles sein wollte."

Fisher war jetzt ganz ruhig. „Iris ist eine ganz besondere Frau", sagte er.

„Seien Sie still!" Siri ließ seine Hand los und stieß Fisher so fest gegen die Schulter, dass er fast vom Stuhl gefallen wäre.

Janeck stand auf und hielt Siri fest. „Beruhige dich doch, er will dir nichts Böses." Und Janne zeigte Fisher durch eine leichte Kopfbewegung an, dass es wohl besser wäre, wenn er jetzt ginge.

„Es ist schon spät, nach elf, ich möchte nach Hause", sagte Janeck zu Siri.

Fisher nickte fast unmerklich und entfernte sich langsam.

„Schmutzig, schmutzig! Sie stinken. Diese schönen Hände

sind verdammt schmutzig." Siri sprach abgehackt und wurde immer lauter. „Sie haben sich Ihre schönen Arzthände beschmutzt. Dreckig, dreckig sind sie ... Gehen Sie sich jetzt die Hände waschen?"

Fisher blieb am Tresen stehen und reichte seine Kreditkarte der Kassiererin.

„Jemanden zweiteilen heißt doch, ihn töten. Wussten Sie das nicht, Professor?" Siri schrie jetzt quer durchs ganze Lokal, so dass er, aber auch alle anderen Gäste es hören mussten.

Fisher murmelte eine Entschuldigung und verließ mit hochrotem Kopf das Restaurant.

Heute verstehe ich, was Fisher wollte: über Iris reden, damit ich verstehe und begreife und ihm und ihr am Ende vergebe. Vielleicht ist es bald einmal möglich, mit ihm zu reden, wenn er meine Aufzeichnungen gelesen hat. Ich schäme mich, wenn ich an diesen Abend zurückdenke. Aber damals war ich nicht mehr ganz von dieser Welt, war verrückt in diesem Doppelleben.

Iris alterte im Zeitraffer. Mit einundfünfzig sah sie aus wie eine Frau von Mitte sechzig. Und ich sah jede neue Falte und jeden Altersflecken, den Haarausfall und die knotigen Finger. Ich sah mir selbst zu, wie ich langsam verging. Noch kettete das Leben uns zusammen. Aber immer öfter sehnte ich mich nach dem Tod – egal, ob es ihr Tod war oder mein eigener. Oder wünschte ich uns beide ins Grab?

Seit dem Frühling des einundzwanzigsten Jahres hatten Iris und Siri ein festes Besuchsritual entwickelt. So musste Iris ihre Tochter nicht mehr bitten zu kommen und Siri brauchte nie abzulehnen. Alle zwei Wochen fuhr Siri nun am Dienstagnachmittag nach Lübeck. Um fünf Uhr betrat sie die alte Wohnung, wo Dada sie erwartete und ihr bei einer Tasse Kaffee das Neueste erzählte. Danach ging die Besucherin ins Arbeitszimmer, wo jetzt statt des langen Holztisches mit den knisternden Pergamentbögen ein Krankenbett stand. So konnte Iris aus dem Erker auf die alten Bäume vor dem Haus sehen.

An manchen Tagen war Iris so bestimmt und fordernd wie früher. „Warum spielst du nicht mehr?“, fragte sie dann. „So begabt wie du bist! Du wirst es noch bitter bereuen. Was du jetzt versäumst, holst du nie wieder auf. Was willst du denn sonst tun in deinem Leben?“

„Ich weiß es noch nicht“, antwortete Siri, „ich bin eben ein Nichtsnutz.“

An anderen Tagen redete Iris kein Wort, still und mit glasigen Augen krümmte sie sich unter der Decke, jede Faser ihres Körpers schmerzte. Dann spürte Siri, wie ihre Mutter unter dem Zerfall litt. In dieser Stimmung kamen sie sich manchmal sehr nahe, waren sie wieder im Einklang. Wenn Iris dann ihre Tochter anschaute und die junge Iris sah, wurde sie getröstet: Ja, sie würde weiterleben, alles war recht so. Und ein Gefühl des Friedens kam über sie.

Oft waren die Besuche auch unerträglich. Dann keifte Iris und beschimpfte Siri, die sowieso zu selten komme und bei diesem Janeck in Hamburg hause, dazu noch von ihrem Geld lebe und nur undankbar sei.

Und dann, im Herbst, erkannte Iris ihre Tochter zum ersten Mal nicht mehr. Verstört sah sie zur Tür, durch die diese Fremde eingetreten war. Mühsam zog sie sich an dem eisernen Dreieck hoch, das von dem Galgen ihres Krankenbettes baumelte, und kreischte: „Wer sind Sie? Wie kommen Sie hier herein?“ Die Person näherte sich bedrohlich und die Frau im Bett schrie um Hilfe.

Eigentlich wollte Siri sie in den Arm nehmen und sagen: „Ich bin's doch, Siri, deine Tochter.“

Doch diese Frau, die ihre Mutter war, zischte sie an: „Verschwinden Sie! Raus!“ Und dann schrie sie nach Daniela Hausmann: „Wo bleiben Sie denn, Dada, verdammt noch mal ...“

Siri verließ rückwärts das Zimmer und prallte auf dem Flur mit Dada zusammen, die sie tröstend an sich drückte wie damals das Kind, als seine Mutter auf einer Konzertreise gewesen war und Siri sie im Konzertflügel gesucht hatte. Das komme jetzt öfters vor, dass sie jemanden nicht erkenne und so verwirrt und aggressiv sei.

An dem Tag, als Iris mich zum ersten Mal nicht erkannt hatte, vergaß ich, ins Musikzimmer zu gehen und Mister Black zu begrüßen. Ich lief an dem hohen Gangspiegel vorbei und hörte Iris noch immer schreien. Ich wollte nur nach Hause. Hier gab es mich nicht mehr. Es war, als ob ich gestorben wäre. Ich rannte ins Freie und atmete die klare Herbstluft ein. Blätter fielen von den Bäumen und die späten Strahlen der Herbstsonne vertieften ihre rote und goldene Färbung. Ihre feuchte Oberfläche glitzerte nach dem morgendlichen Regen. Eine kurze Zugfahrt, und endlich lag ich auf meinem Bett und war wieder bei Johannes, der auf mich gewartet hatte.

„Du kennst mich, aber sie hat mich heute nicht erkannt“, erzählte ich ihm. „Vielleicht hätte ich sagen sollen, ich heiße Johanna. Denn ich bin wie du. Auch ich kenne dieses schaurig-schöne Gefühl, nichts tun zu können, immer getragen zu werden, bewegungslos. Seid ihr am Ende zusammen gestorben?", fragte ich meinen Leidensgefährten. „Wahrscheinlich ist es gar kein beängstigendes Gefühl, wenn man stirbt. Eine große Ruhe, kein Kämpfen und endlich keine Fragen mehr."

Die Vergangenheit und Gegenwart lösten sich auf. Iris hatte mich nicht erkannt, also gab es mich nicht mehr. Und als ich mit Johannes redete, schwebte ich ganz hoch oben in einem zeitlosen Raum.

Iris Sellins Zustand verschlimmerte sich weiter, und Anfang Dezember kam sie mit einer Lungenentzündung ins Krankenhaus, das sie nie mehr verlassen sollte.

„Wie lange wird sie noch leben?", fragte Siri den Arzt, als im Januar des zweiundzwanzigsten Jahres endlich der erste Schnee fiel. Es könne noch vier Wochen, aber auch noch viele Monate so weitergehen. An MS sterbe niemand, erklärte er ihr, nur an den Folgen, den Infektionen. Aber sehr wahrscheinlich werde ihre Mutter dieses Jahr nicht überleben.

Der Arzt zeigte Siri das Computerbild des Gehirns ihrer Mutter. Weiße Flecken durchzogen es. Geschrumpft war nicht nur der Körper, auch der Geist starb. Ihre Persönlichkeit lag im Sterben. Dieser Blick in Iris' Kopf ließ Siri besser begreifen, was sie so lähmte und hilflos machte: Ihre Gefühle hatten kein Gegenüber mehr. Sie konnte diese Mutter nicht länger verachten oder bemitleiden, deshalb hasste sie sich selbst umso mehr.

Ich hatte das Gefühl, dass sich auch in meinem Kopf diese weißen Flecken ausbreiteten. Iris hatte mich nicht erkannt und ich erkannte Iris nicht mehr. Wieder glichen wir uns, ein Hirn wie das andere, und ein Herz und eine Seele sowieso.

Im Mittelalter stritten die Theologen heftig, was nach dem Tod mit der unteilbaren Seele der Zwillinge geschehe, wenn der eine ein schlechter, der andere aber ein guter Mensch gewesen war. Kochte die Seele der beiden im Höllenfeuer, sangen sie gemeinsam im Himmel oder waren sie nun auf ewig getrennt?

Ich fragte Johannes: Wie bereitet sich ein Zwilling auf den Tod des anderen vor, wie ein Klon-Kind auf den Tod der Klon-Mutter? Was kommt danach? Werde auch ich erkranken, ist alles genetisch vorbestimmt? Bin ich nicht erst einundzwanzig Jahre alt, sondern auch schon dreißig Jahre älter, genau wie sie?

Nicht nur Haut und Knochen, die zusammengewachsen sind, oder Organe, die zwei Menschen sich teilen müssen, machen unzertrennlich. Auch Gefühle, besonders Klon-Gefühle, fesseln zwei Menschen – bis dass der Tod sie scheidet.

Muss ich wirklich mit ihr zusammen sterben?, fragte ich Johannes immer und immer wieder. Aber mein Vertrauter schwieg weiter.

Wie lange Siri bei der Kranken blieb, wurde gleichgültig. War sie nur kurz bei ihr, konnte es sein, dass Iris sich für den langen Besuch bedankte. Saß sie eine Stunde am Bett, machte Iris ihr in der nächsten Woche Vorwürfe, dass sie seit Monaten nicht gekommen sei.

Iris Sellin lebte schon außerhalb der normalen Weltzeit. Sie schimpfte wegen der gelben Schleife, die Siri bei dem Muttertagskonzert heimlich umgebunden hatte. Nach Taiwo und Kehinde schrie sie und forderte Manuskriptblätter und Tusche.

„Sie ruft oft nach ihrer Schwester", sagte die Pflegerin eines Tages zu Siri. „Wir wussten gar nicht, dass sie eine Schwester hat. Kann die nicht mal kommen?"

„Sie phantasiert nur, sie hat keine Schwester mehr", antwortete Siri.

Sie sah die offenen Stellen auf Iris' Rücken, als die Pflegerin sie zur Seite drehte, um sie neu zu betten. Und es war Siri, als schaute sie in ihren eigenen Körper. Sie schauderte.

Es war so kalt in dem Raum. „Skalpell!", rief der Pathologe und wies seine Gehilfen an, bitte sehr vorsichtig vorzugehen. Solche Klone hatte er noch nie unter dem Messer gehabt. Noch nie war er unter dem gleißenden, bläulichen Neonlicht dem Geheimnis des Alters so nah gewesen. Schicht um Schicht wollte er sich vorarbeiten, ihr Innerstes auseinander nehmen und bis in den letzten Zellkern vergleichen.

„Wann ist Juni?", fragte eine Stimme.

So lange können sie mich hier doch nicht aufgeschnitten liegen lassen, dachte Siri, in dieser Kälte, auf diesem hässlichen metallenen Tisch.

„Wann ist Juni?" Diese Stimme kannte sie doch. Sie gehörte Iris. Siri lag nicht auf dem harten Seziertisch, sie saß auf einem Stuhl neben dem Krankenbett. Der Wind hatte die angelehnten Fensterflügel aufgedrückt und deshalb fröstelte sie.

„Wann ist Juni?", erklang erneut Iris' ungeduldige Stimme.

Nun wusste ich, wann du sterben würdest. Du wolltest so lange gegen den Tod kämpfen, bis das Sternbild des Zwillings mit den Hauptsternen Kastor und Pollux am Himmel auftauchte. Erst dann würdest du aufgeben. Du komponiertest sogar noch deinen Tod, Iris, nur nichts dem Zufall überlassen, bis zum bitteren Ende! Den angemessenen Zeitpunkt finden für IHR Verschwinden.

Und als ich dir sagte: „Es ist schon Frühling, wir haben Anfang Mai", antwortetest du: „Eine schöne Zeit, um schwanger zu sein."

Du kehrtest zurück an den Anfang unseres gemeinsamen Lebens. „Die Anna Perenna-Musik folgt einer Glockenform. Hörst du nicht die Glocken? Ding, dong, ding! Ding, dong, ding!", sangst du mit der Stimme eines kleinen Mädchens. Dann fielen dir die Augen zu.

Noch einmal schrecktest du hoch. „Hast du meine Tagebücher?", fragtest du und schienst plötzlich ganz klar. „Sie sind alle für dich, nicht vergessen! Es ist mein Vermächtnis. Ich habe alles aufgeschrieben für dich."

Und während ich dich beim Einschlafen leise murmeln hörte: „Wann ist endlich Juni?", schwor ich mir, diese Bücher nie zu lesen.

In der ersten warmen Frühsommernacht, Ende Mai, hörte Janeck die kleine Schwester schreien und rannte in ihr Zimmer. Schweißnass saß Siri im Bett.

„Es war nur ein Traum", sagte sie und erzählte Janeck stockend von dem Parasiten, der auf ihre Brust gedrückt hatte. „Ich hatte ja nie geahnt, wie schwer so ein Schmarotzer sein kann. Den Kopf hatte er auf die Seite gedreht und Arme und Beine ließ er baumeln. Als ich das röchelnde Haupt aufrichten wollte, um ihm mit einem nassen Tuch die trockenen Lippen zu betupfen, sah ich in das Gesicht meiner Mutter. Sie öffnete die Augen und fragte überrascht und ängstlich: ‚Wer sind Sie? Gehen Sie!' Ich schüttelte den Torso, der doch an mir festgewachsen war, so lange, bis er sich endlich löste. Da habe ich wohl geschrien. Denn ich wartete auf einen schrecklichen Schmerz und hatte Angst, dass ich verblute. Aber nichts tat weh, und da war auch kein Blut, keine Wunde, nur ein großes dunkles Loch und ... und ..." Siri suchte nach einem Wort. „... Leichtigkeit. Aber ich schrie trotzdem weiter und da bin ich aufgewacht."

Janeck legte sich neben Siri und hielt ihre Hand, bis sie wieder eingeschlafen war und ruhig atmete.

Am nächsten Tag dachte Siri ohne Schrecken an diesen Traum. Sie war sich jetzt sicher, dass alles bald vorbei sein würde. Und endlich durfte Janeck das Johannes-Bild abhängen und in Stücke reißen.

Die Schwester in der Klinik erzählte Siri bei ihrem nächsten Besuch, dass die Mutter vor zwei Tagen einen schlimmen Alptraum gehabt habe. Schweißnass sei sie im Bett gesessen und habe fürchterlich geschrien. Es war dieselbe Nacht gewesen, in der Siri sich im Traum den Parasiten ausgerissen hatte.

Iris bemerkte Siri nicht, als sie an ihr Bett trat. Ruhig lag sie da und schien an etwas Schönes zu denken. Siri summte einige der Melodien, mit denen ihre Mutter sie als kleines Kind in den Schlaf gesungen hatte. Das Leben lief rückwärts.

Der Anruf der Pflegerin kam am 13. Juni des zweiundzwanzigsten Jahres. „Sie hat nach Ihnen verlangt", sagte die Stimme. „Ich glaube, es geht zu Ende. Wenn Sie kommen wollen, sollten Sie sich beeilen."

Siri nahm den nächsten Zug. Dieses Mal beruhigte sie das Ram-ta-ta, Ram-ta-ta der Räder nicht. Bevor sie in Lübeck einfuhr, zählte sie aus der Ferne die sieben Türme und wunderte sich, dass alle noch standen. Wenn Iris stirbt, dachte sie, muss doch die ganze Welt zusammenbrechen und wie meine Wunschzettel in dem alten Gewölbe zu Staub zerfallen.

Das Krankenhauszimmer durchwehte ein Sommerwind, alle Fenster waren geöffnet. Während des Todeskampfes hielt sie die Hand der Sterbenden. Einmal noch öffnete Iris die Augen und ein Lächeln des Erkennens huschte über ihr Gesicht.

Es tut mir Leid, Iris, dass ich nicht gut genug gespielt habe.

Deshalb musst du jetzt sterben. Wie abgemagert deine Finger sind, so schlank wie Fishers Finger. Erst der Tod würde auch mir diesen Wunsch erfüllen, lange schlanke Pianistinnenhände zu haben. Aber die brauche ich schon lange nicht mehr.

Ein grauer Schleier zog von unten her über dein Gesicht, Muzwi, und eine unglaubliche Stille hüllte uns ein. Es muss dieselbe Stille gewesen sein, in die Mortimer Gabriel Fisher geblickt hatte, bevor unter seinem Telemikroskop der Iris-Klon zu leben begann. Am Anfang und am Ende des Lebens ist Ruhe.

Ein Kreis schließt sich.

Siri schaute in das Gesicht der Toten und fand darin das kleine Kind und das Mädchen, die sie beide gewesen waren. Und sie sah darin die alte Frau, die auch sie einmal sein würde. Aber die junge Frau, die bei Iris' letztem Atemzug neben dem Totenbett gesessen hatte, war plötzlich verschwunden.

Siri suchte sie verzweifelt.

Sie beugte sich über die Tote wie über einen Spiegel und ertastete ihre eigenen Augenbrauen und die der Liegenden. Ihr Zeigefinger glitt die zwei Nasenrücken entlang. Sie erspürte den Schwung der beiden Lippenpaare und der zwei gleichen Kinne. Siri musste sich neu begreifen und erfühlen, wo die andere aufhörte und sie selbst anfing. Wer war tot und wer lebte noch?

Jemand seufzte. Der Seufzer war Siris Mund entstiegen. Nun

fühlte sie, dass sie tatsächlich noch atmete, noch lebte. Aber Iris rührte sich nicht, sie blieb totenstarr liegen.

Endlich traten Siri Tränen in die Augen, endlich konnte sie weinen. Sie weinte, weil sie traurig war, und aus Furcht, allein leben zu müssen. Denn Iris hatte ihren Klon doppelt allein zurückgelassen, als Tochter und als Zwilling. Und für einen überlebenden Zwilling ist nichts einfach. Doch Siri weinte auch aus Freude, endlich allein leben zu dürfen.

Zum ersten Mal in meinem Leben konnte ich dich anschauen, ohne mich zu fragen, was du von mir willst.

Fast zweiundzwanzig Jahre nach meiner Geburt, an einem Juni-Sommertag, konnte ich zum ersten Mal *ich* sagen, ohne zu lügen. Ich war zu einem Ich geworden, einzig und zum ersten Mal ungeteilt, endlich ein Individuum.

Ich sah in dein starres Gesicht, bleiche Schwester, und war mir so sicher wie noch nie: Das bist allein du und nicht ich. Plötzlich war alles so klar, tote Mutter, so leicht und einfach. Ich lebte und du warst tot. Verschiedener als in diesem Augenblick können zwei Menschen doch gar nicht sein.

Und als ich das gefühlt und begriffen hatte, hörte unser/mein/dein Leben auf, ein Doppelleben zu sein. An diesem Tag begann mein zweites Jahr null.

Siri wagte sich sogar zurück auf die Zwillingsinsel, denn nun gab es wieder genug Platz. „Hallo, Mister Black! Lange nicht gesehen!“, mumelte sie und strich über das glänzende Gehäuse. Und weil sie einsam war, legte sie sich unter den schwarzen Holzkörper wie früher. Und sie weinte, bis sie keine Tränen mehr hatte.

Als Siri unter dem Instrument hervorkroch, war sie ganz ruhig. Sie öffnete den Deckel des Konzertflügels, zupfte an den Saiten, betrachtete die Hämmerchen, schlug die Tasten an. Dann setzte sie sich auf den Klavierhocker. Ihre Hände wollten wieder spielen.

In all den Jahren hatte ich erstaunlich wenig verlernt und vergessen. Weil ich in meinen Träumen so oft gespielt habe. Ohne Mühe fanden meine Finger die richtigen Tasten. Ich mischte die „Tautropfen“ mit den „Echoes“, improvisierte in Moll und Dur. Aber ich musste noch viel mehr üben, um dir dieses Mal keine Schande zu bereiten. Mein allerletzter Auftritt sollte an deiner Totenfeier sein. Verbissen arbeitete ich am Totenlied für dich, Iris, das auch mein neues Wiegenlied werden sollte.

Der mit Blumen geschmückte Sarg stand auf einem Podest. Wenn Siri am Ende der Feier ihren Auftritt hatte, würden sich Klappen im Boden öffnen und Iris würde für immer verschwinden.

Viele Menschen waren gekommen, und als sie mit Dada und Janeck in der ersten Reihe Platz nahm, hörte sie hinter sich eine Stimme flüstern: „Nein, diese Ähnlichkeit! Man meint wirklich, es sei Iris. Einfach gespenstisch!“

Siri achtete weder auf diese Worte noch auf die vielen Reden, die gehalten wurden. Sie erinnerte sich auch später nicht an einen der Nachrufe, sie dachte nur an ihren Auftritt.

„Als Abschiedslied hören Sie nun eine Improvisation, gespielt von Siri Sellin.“ Als Thomas Weber die Tochter ankündigte, erfüllte ein kurzes Raunen die Steinhalle.

Langsam trat Siri zum Klavier und spürte diese gierigen

Einlings Blicke im Rücken. Doch die konnten ihr nichts mehr anhaben. Iris würde sie nun nicht mehr an die Wand spielen. Iris war tot und Siri deshalb einzigartig. Und in diesem Bewusstsein schlug sie auch die Tasten an.

Als ich zu spielen begann, vergaß ich alles um mich herum. Ich spielte nur für dich, Mutter, genauso wie du für mich gespielt hattest, als ich in dir noch im Dunkeln lebte und unsichtbar für die anderen war.

Mein Anfang war dein Ende, dein Ende ist mein Anfang.

Nicht nur die verabredeten zehn Minuten spielte ich, sondern ich spielte immer weiter, auch als der Sarg schon längst verschwunden war. Ich schlug die Zuhörer so in den Bann, wie ich es mir bei meinem ersten Soloauftritt erträumt hatte. Als der letzte Akkord durch den Raum schwebte, sprang ein Mann auf, klatschte und rief Bravo. Er hatte vollkommen vergessen, wo er sich befand. Danach erhoben sich alle und applaudierten mir.

Du musstest erst sterben, Iris, damit ich den Applaus zu hören bekam, der mir zustand und der nur mir alleine galt.

Später stand Siri neben Thomas Weber an der Ausgangstür der Andachtshalle. Sie schüttelte viele Hände, bedankte sich für die Beileidsbekundungen und sehnte sich die ganze Zeit nach dem Meer.

Heute Abend möchte ich mit Janeck den Strand entlangrennen, wünschte sie sich, mit nackten Füßen und den Wind im Gesicht. Ich möchte mir die salzigen Lippen lecken und mich in den warmen Sand werfen. Auf dem Rücken liegen will ich und in das dunkle Blau des Himmels schauen.

Die Gesichter, die an ihr vorbeizogen, waren unwichtige Schatten. Doch dann sah sie in Augen, die sie nie vergessen hatte. Es war Kristian, ihre erste große Liebe. Sie schaute ihn an und stellte sich vor, dass er sie umarmen und ihr ins Ohr flüstern würde, dass er sie unbedingt treffen wolle, jetzt, da Iris tot sei, die so lange zwischen ihnen gestanden habe. Nur an Siri habe er die ganze Zeit gedacht und sie nie vergessen können. Siri spürte, wie sie rot wurde.

Aber Kristian legte ihr nur die Hände auf die Schultern und gab ihr einen leichten Kuss auf die Stirn. „Du bist sehr tapfer", sagte er. „Iris wäre stolz auf dich und besonders auf dein Spiel gewesen." Seine Augen waren tränennass.

Wieder ist er zu feige, mir zu sagen, was er wirklich will, dachte Siri. Wortlos wandte sie ihr Gesicht den nächsten Trauergästen zu. Kristian nahm die Hände von ihren Schultern und ging ohne einen Gruß. Siri schaute ihm nicht nach, sonst hätte sie gesehen, dass er einen Augenblick zauderte, bevor er sie endgültig verließ.

Plötzlich streckte der Letzte in der langen Reihe der Trauergäste ihr zwei Hände entgegen, die sie sehr gut kannte. Mortimer G. Fisher war angereist. Und wieder einmal stand dieser Mann vor ihr, dem sie ihr Leben verdankte. Sie dachte an ihr letztes Zusammentreffen und war unsicher, was sie nun tun oder sagen sollte. Aber Fisher ergriff ihre Hände, wie es alle anderen auch getan hatten.

„Es gibt eine Frage, die ich Ihnen schon immer stellen wollte", sagte Siri. „Haben Sie meine Mutter eigentlich geliebt?"

„Nein, diese Möglichkeit hat es nie gegeben." Mortimer Fisher sah traurig aus. Diese junge Frau, die ihrer Mutter so sehr glich, ließ auch ihn schmerzhaft fühlen, wie alt er geworden war. Und er ahnte, wie schrecklich es für Iris gewesen sein musste, ständig ihrem jugendlichen Ebenbild zu begegnen.

„Sie müssen wieder spielen“, sagte er. „Versprechen Sie mir das, Siri? Sie sind wirklich so begabt wie Ihre Mutter.“

Was wollte Fisher eigentlich von mir? Er mischte sich schon wieder ein, gab mir sogar nach Iris' Tod noch Ratschläge. Dazu hatte er kein Recht mehr. Ich zog meine Hände weg und spuckte ihn an. Ich wehrte mich, so hilflos wie ein kleines Mädchen, das festgehalten wird und nicht treten kann. Als ich meinen Speichel auf Fishers Jacke sah, schämte ich mich. Zweiundzwanzig war ich und kein Kind mehr, aber in Fishers Nähe fühlte ich mich immer so klein und hilflos und gleichzeitig stieg eine furchtbare Wut in mir hoch. Zum Glück hatten die restlichen Trauergäste nichts von dem Vorfall bemerkt.

Fisher blieb ganz ruhig, kein Ausruf, keine Bewegung, nichts. Er streichelte mir sogar fast zärtlich das Haar. „Entschuldigen Sie sich nicht, bitte“, sagte er. „Ich hoffe nur, wir sehen uns bald einmal unter den richtigen Umständen wieder, um endlich in Ruhe zu reden, kleine Siri. Es täte uns beiden gut, glaube ich.“

Meine trotzige Wut kam mir jetzt besonders kindisch vor. „Ich überlege es mir“, antwortete ich nur.

Wir gingen in verschiedenen Richtungen davon. Janeck wartete auf mich und wir fuhren noch ans Meer, wo ich in die kreischenden Klagegesänge der Möwen mit einstimmte.

Zwei Tage nach der Beerdigung erhielt Siri Sellin einen Brief der Plattenfirma New Classic, die früher Konzerte ihrer Mutter betreut hatte. Nachdem ihr der leitende Manager

Roger Wimmer sein Beileid ausgesprochen und sich für seine Eile entschuldigt hatte, unterbreitete er Siri ein Angebot. Er habe gehört, sie spiele wieder. Deshalb würde er gerne mit ihr eine Konzerttournee organisieren. Er bat um Rückruf, um alles Weitere am Telefon zu besprechen.

Siri trug den Brief zwei Tage mit sich herum, bevor sie anrief.

Der Manager meldete sich sofort: „New Classic, Wimmer am Apparat."

„Hier spricht Iris Sellin", sagte Siri.

„Wie bitte ...?" Wimmer klang ratlos.

„Es sollte nur ein Scherz sein. Hier spricht die Tochter, Siri Sellin. Sie haben mich angeschrieben."

Sein verhaltenes Lachen zeigte, dass Wimmer nicht genau wusste, wie er mit dieser Situation umgehen sollte. „Ich muss schon sagen, diese Ähnlichkeit der Stimmen, unglaublich! Sie haben mich wirklich verblüfft."

Und dann erklärte er, dass es unter kommerziellen Gesichtspunkten sicher ratsam sei, möglichst schnell aufzutreten. Noch könne man den Namen Sellin, der zur Zeit – zwar wegen eines traurigen Anlasses, gewiss – wieder in aller Munde war, als Zugpferd nutzen.

„Ich verstehe Sie, glaube ich, ganz genau", fiel Siri ihm ins Wort. „Sie wollen, dass ich mich als Iris Sellin zurechtmache. Motto des ersten Konzertteils ‚Musik aus der Gruft'. Und dann nach der Pause bin ich Siri Sellin und spiele als Tochter unter dem Motto ‚Von den Toten auferstanden' oder – lassen Sie mich überlegen – noch besser wäre wahrscheinlich der Titel ‚Wie frisch geboren'."

Siris Ironie verunsicherte Wimmer weiter. Er schluckte hörbar. „Also so konkret hatte ich mir das noch nicht überlegt ..."

Es folgte eine kleine Verlegenheitspause. „Etwas gewagt, Ihre Idee, aber nicht uninteressant“, fuhr er fort. „Das ist nicht schlecht, aber ich muss erst einmal darüber nachdenken.“

Siri konnte es kaum fassen: Dieser Mensch fand ihren Vorschlag tatsächlich bedenkenswert. Waren alle verrückt und nur sie nicht oder umgekehrt?

„Kennen Sie den Satz, den meine Mutter besonders gerne zitiert hat?“, fragte Siri. „Nein? Schweine und Komponisten haben etwas gemeinsam: Tot sind sie am meisten wert.“

Roger Wimmer lachte viel zu laut. Jetzt wusste er überhaupt nicht mehr, was er von dieser Frau und ihren makabren Witzen halten sollte.

„Ich werde mich in den nächsten Tagen bei Ihnen melden.“ Siri verabschiedete sich kurz und legte auf. Mit festen Schritten ging sie an die Flurkommode. In der zweiten Schublade ganz rechts lag noch die große Schere, die sie langsam unter einem Schal herauszog.

Ich könnte wieder auftreten – Auf die Bühne rauschen wie Iris, vom Beifall umtost – Eine Tournee mit ausgebuchten Konzertsälen – Ich würde es allen zeigen – Mein Wunschzettel hat mir Glück gebracht – Ich will eine große Pianistin werden – Ich mache dich gesund mit meiner Musik – Ich lasse Iris auferstehen – Im Namen der Mutter und der Tochter und des heiligen Gen-Geistes – Weil es dich gibt, sterbe ich nie – Klonauftrag erfüllt – Ich spiele um mein Leben – Ich stehe auf der Bühne – Alle jubeln mir zu – Im Schrank muss noch das schöne blaue Kleid hängen – Da ist die Blueprint-Robe – Ob sie mir noch passt? – Ich schlüpfe hinein – Du bist mein Leben – Schnell vor den Spiegel – Von allen Seiten sitzt das Kleid wie angegossen – Ich drehe mich im Kreis – Siri-Iris-Iris-Siri – Siehst du zwei oder vier Augen? – Nur zwei! – Ich werde Pianistin, wenn ich groß bin – Duich findet das Kleid etwas zu lang – Ich werde größer und berühmter sein – Warte, Ichdu holt die große Stoffschere – Bist du dann schon tot? – Wir schneiden einfach etwas ab – Ritsche ratsche DNS. Ritsche ratsche DNS – Weil es dich gibt, sterbe ich nie – Pass doch auf, jetzt ist es schief – Noch ein Stück muss weg – Jetzt ist die Schere abgerutscht – Du sollst das Kleid nicht zerschneiden! – Du schneidest dich noch, Duich – Schon passiert – Nur ein kleiner Kratzer, Ichdu – Ritsche ratsche DNS – Blut macht Flecken – Das Kleid ist sowieso kaputt – Weine doch nicht – Jetzt kann ich nicht mehr auftreten – Das ist doch nicht zum Heulen – Ich habe kein passendes Kleid mehr – Du blutest ja – Morgen sage ich die Konzerte ab – Das Kleid ist kaputt.

Daniela Hausmann erschrak fürchterlich, als sie Siri im Flur liegen sah, in einem zerschnittenen Kleid und mit blutigen Kratzern auf den nackten Beinen und Armen, daneben die blutige Schere. Sie kniete sich neben Siri nieder und schaute in ein lächelndes Gesicht. So zufrieden hatte Siri schon lange nicht mehr ausgesehen.

„Es geht mir gut, Dada", sagte Siri, „wirklich. Es ist überstanden."

Stapel von Kisten standen abholbereit in der Sellinschen Wohnung. Die Umzugskartons im Arbeitszimmer waren für das Archiv und die Bibliothek der Musikhochschule bestimmt. Sie enthielten das Klavier-Übungsprogramm, das Iris für ihre Tochter entwickelt hatte, und alle ihre Unterlagen, die unvollendeten Skizzen und die fertigen Kompositionen einschließlich der zwei Opernpartituren, sämtliche Noten und ihre CD-Sammlung.

In vier besonders gekennzeichneten Kisten lagen Iris' Fotoalben und Tagebücher. Manche hatte sie als Teenager begonnen, andere Bände stammten aus ihrer Studienzeit. Erst vom Jahr null an bis ins zwanzigste Jahr hinein hatte Iris regelmäßig Tagebuch geführt und besonders Siris Entwicklung und musikalischen Fortschritte in allen Einzelheiten protokolliert. Daniela Hausmann hatte in den schwarzen Kladden gelesen und Siri davon erzählt, die sich geweigert hatte, die Bücher auch nur in die Hand zu nehmen.

Erst wenige Wochen vor ihrem Tod hatte Iris ihrer Tochter von den Tagebüchern erzählt und sie „mein Vermächtnis" genannt. Heimlich hatte sie alle die Jahre geschrieben und niemand hatte es je bemerkt. Doch Siri wollte nicht wissen, wie sie sich mit fünfundzwanzig, mit dreißig oder vierzig Jahren fühlen würde. Oder wie Iris ihren Klon gesehen hatte. Das hatte sie schon selbst aufgeschrieben. Ihre eigenen Aufzeichnungen, die sie *Blueprint* nennen wollte, waren fast fertig.

Nachdem Janeck mit Siri zur Mülldeponie gefahren war und sie alle Tagebücher in den riesigen Altpapierreißwolf gekippt hatten, fuhren sie nach Hamburg zurück. Dann schickte Siri fünf Bilder, die sie gemalt hatte, mit den üblichen Bewerbungsunterlagen an die Kunsthochschule in Berlin. Weder Siri noch Janeck zweifelten an ihrem Erfolg. Im dreiundzwanzigsten Jahr würde Siri ihr Kunststudium beginnen.

„Ich bin stärker als die anderen", sagte Siri zu ihm. „Denn ich habe meinen eigenen Tod überlebt."

Geldsorgen hatte sie nicht. Die Tantiemen von Iris' Kompositionen machten sie frei, wirklich zu tun und zu lassen, was sie wollte. Die Malerei würde nur der Anfang sein. Siri hatte eine unbändige Lust, Neues auszuprobieren, neue Formen zu finden. Alles sollte anders werden, mutiger und radikaler. Wie ihre Kunst denn werden sollte, fragte Janeck.

„Einfach klonig", war Siris Antwort.

Nur zwei Dinge habe ich von der schon längst versunkenen Zwillingsinsel mitgenommen in mein Einzelleben: die weiße Marmorstatue der Doppelgöttin und unseren schwarzen Konzertflügel, an dem ich das alles aufgeschrieben habe. Mister Black soll mich immer daran erinnern, dass ich ein überlebender Zwilling bin. Der Flügel ist mein Ibeji.

Ibeji nennen die afrikanischen Yoruba eine kleine Figur, die ein Holzschnitzer nach dem Tod eines Zwillings anfertigt. In dieser Schnitzarbeit wohnt die Seele des verstorbenen Zwillings. Diese Holzfigur begleitet den Überlebenden in seinem neuen Leben, damit er kein halber Mensch bleibt. Denn die Afrikaner glauben, dass die Seele von Zwillingen unteilbar ist, auch über den Tod hinaus.

Erstes Ende, im Juli
des 22. Jahres

Zehn Jahre später

Ich bin jetzt einunddreißig Jahre alt. Genau so alt war Iris im Jahr null, als sie mich gezeugt hat. Und wie sie damals, lebe auch ich allein und nur für meine Kunst. Ich habe es geschafft, genauso berühmt zu sein, wie Iris es damals war. Und zwar nicht, weil ich ihr Blueprint bin, sondern weil ich endlich ICH werden konnte.

Auf die Klonschaft werde ich kaum noch angesprochen, sie ist inzwischen eine ganz alltägliche Form der Elternschaft geworden. In dieser Beziehung bin ich nun nichts Besonderes mehr und deshalb fragte bei der Eröffnung meiner ersten großen Ausstellung auch niemand mehr nach „der Mutter der Künstlerin".

Meine erste Einzelausstellung in Hamburg, die gerade zu Ende gegangen ist, war ein Riesenerfolg und darauf bin ich sehr stolz. Allein ICH zähle, und zwar mit meinem Künstlerinnen-Namen *Double-Jou.* Die Ironie dahinter verstehen natürlich alle, die mich besser kennen, und dazu gehören natürlich auch Sie, liebe *Blueprint*-Leser. Janeck jedenfalls hat herzlich über meine Wortschöpfung gelacht.

Wo ich bis heute keinen Spaß verstehe, ist meine Künstlerinnen-Biografie. Obwohl oft belächelt oder als egozentrisch abgetan, bestehe ich darauf, dass meine Biografie nicht mit meinem wirklichen Geburtsjahr beginnt, sondern mit dem Todesjahr von Iris, das ich mein zweites Jahr null nenne. Es ist das Jahr, in dem ich *Blueprint* geschrieben habe.

Was seitdem mit und in mir passierte, ist allein in meiner

Kunst zu sehen und nachzufühlen. Alles andere geht niemanden etwas an. Die Arbeiten in meiner Hamburger Ausstellung bezeichneten einige Kritiker als „sehr feinfühlig und doch radikal“, andere beschrieben sie als „kalkuliert und doch voller Emotionen“. Und das waren tatsächlich fast dieselben Worte, mit denen die ersten erfolgreichen Kompositionen von Iris begeistert gefeiert worden waren. Thomas Weber hatte mir einige Tage nach der Vernissage Kopien ihrer alten Konzertkritiken vorbeigebracht. Die Übereinstimmungen hatte er mit einem dicken Rotstift – zum Glück nicht mit Blau! – markiert. Was ich denn zu dieser Parallele meinte, wollte er wissen.

Double-Jou zuckte nur kühl mit den Schultern. „Es erschreckt mich nicht und es freut mich nicht“, sagte ich. „Aber es wundert mich auch nicht mehr. Ich weiß längst, dass Siri auch wie Iris geworden ist.“

In meinen Skulpturen, die sich von kleinen Elektromotoren angetrieben bewegen, treffen oft harte und weiche Materialien aufeinander und erzeugen so eine fast unerträgliche Spannung und Bedrohung. Metallene Fächer entfalten Federn und Papier, manchmal auch beschriebene Notenblätter. Messer attackieren Pinsel oder Holzlatten. Wasser und Farben tropfen auf eiserne Gestelle, Metallspitzen zielen auf Eier.

„Eine ganz neue Art von Maschinenkunst wurde hier geboren“, sagte Katinka Frischmut, die Inhaberin der Hamburger Galerie Ortszeit bei der Ausstellungseröffnung und setzte, bevor sie weitersprach, eine kurze theatralischen Pause. „Maschinen spielen in den Installationen von Siri Sellin eine Hauptrolle. Sind es metallene Konstruktionen, die scheinbar unbegrenzt leben? Sind diese gebauten Aliens vielleicht Ersatz oder Symbol für das ewige Leben?“

Einer solchen Sichtweise habe ich immer entschieden widersprochen und dabei klargestellt, dass es ewige Maschinen nicht gibt. Sie haben, wie wir Menschen, nur eine begrenzte Lebensdauer. Die Maschinen, die ich baue, sind ja auch keineswegs perfekt. Sie beben und zittern, sie werden ohnmächtig und erwachen plötzlich wieder zu neuem Leben. Sie tanzen und geben Geräusche von sich, sie verselbständigen sich und manchmal werden oder spielen sie auch verrückt. In einer ganz eigentümlichen Welt leben diese mechanischen, manchmal beseelt wirkenden Wesen. Sie agieren wie Schauspieler auf einer Bühne und halten uns so den Spiegel vor. Denn in dieser Welt sind wir doch alle melancholische Darsteller in völliger Einsamkeit.

Während das Publikum der Galeristin noch applaudierte, kam ein attraktiver Mann auf mich zu und lächelte mich an, als sei ich eine alte Bekannte. Ich dachte angestrengt nach und stutzte. Tatsächlich, ein Teil meiner Vergangenheit stand plötzlich leibhaftig vor mir. Ich hatte sogar schon Ausschau nach ihm gehalten, aber den Mann, den ich eingeladen und erwartet hatte, hätte schon Ende sechzig sein müssen.

Ich rechnete nochmals kurz nach: Genau achtundsechzig Jahre alt müsste er jetzt sein. Vier Jahre nach Iris' Beerdigung hatten wir uns zum letzten Mal getroffen und er hatte mir viel Wichtiges erzählt. Doch dieser Mann hier war nur ein paar Jahre älter als ich selbst.

Ehe ich etwas sagen konnte, stellte der Mann sich auf Englisch vor: „Hallo, ich bin Jonathan Fisher, der Sohn von Professor Fisher. Sie haben es wahrscheinlich schon vermutet. Mein Vater und ich sehen uns schließlich auch recht ähnlich."

Er hatte tatsächlich „auch" gesagt und ich ärgerte mich über diesen unwissenden Einling, der, wie ihr alle, nichts von wirklicher Ähnlichkeit weiß oder versteht.

„Ich freue mich, Sie zu treffen." Fishers Stimme verriet, dass er es wirklich so meinte.

Mein Gegenüber betrachtete mich aufmerksam und ich schien ihm zu gefallen. Er sah, was auch sein Vater vor langer Zeit gesehen hatte: graublaue Augen in einem leicht runden Gesicht, die streng schauen und Distanz schaffen. Lockige Haare, die immer wieder in die hohe Stirn fallen und etwas struppig und widerborstig vom Kopf abstehen. Schön geschwungene Lippen, aber eher schmal, und wenn sie nicht lachen, sehen sie schnell etwas verkniffen aus. Das Lächeln ist gewinnend, aber es wirkt wohl auch etwas überheblich.

„Mein Vater hat mir viel von Ihnen erzählt, sehr viel", fuhr Fisher fort. „Er hat sich über Ihre Einladung gefreut. Deshalb war er auch sehr traurig, dass er nicht selbst kommen konnte. Aber er hat vor einem halben Jahr einen Schlaganfall erlitten, seitdem ist er halbseitig gelähmt. Nur leicht zwar, aber es behindert ihn doch so sehr, dass diese lange Reise zu viel für ihn gewesen wäre. Und so hat er mich als seinen Vertreter geschickt. Das war ihm sehr wichtig. Und glauben Sie mir, ich vertrete ihn sehr gern, wirklich sehr gern."

Jonathan Fisher gefiel mir. Wie sein Vater und meine Mutter vor langer Zeit sich gegenübergestanden hatten, standen wir uns nun gegenüber. Und dann legte dieser Sohn seine Hand auf meinen Arm. Vielleicht hatte Professor Mortimer G. Fisher Iris Sellin genauso berührt. Ich schien in einen alten Film geraten zu sein.

Erschrocken schloss ich die Augen. Und plötzlich bestand für mich alles nur noch aus dieser Berührung, fühlte ich nur noch seine Hand. In meinem Bauch zog sich etwas zusammen – ein Gefühl, das ich nur zu gut kannte: Ich war wieder das Kind, das durch das Loch im schummrigen Gewölbe tief nach unten ins Kirchenschiff sah. Und ein Teenager war ich, der Kristian verliebt anschaute.

Am liebsten hätte ich Jonathan Fisher zärtlich ins Ohr geflüstert: „Liebe mich auf der Stelle. Lass uns ein Kind machen." Warum nur fiel mich plötzlich dieser dumme, unmögliche, altmodische Gedanke an, noch dazu bei diesem Fremden, den ich kaum kannte? Ich war schockiert. Nie hätte ich gedacht, dass ich so etwas auch nur denken könnte. Zu oft hatte ich mir von Angesicht zu Angesicht mit Duich und Ichdu geschworen, nie ein Kind zu klonen oder eines mit einem Mann zu zeugen. Keine Kinder! Das stand fest! Nie wollte ich wanken – und nun das.

„Niemals", flüsterte *Double-Jou.*

„Ich verstehe Sie nicht, sorry. Ist Ihnen nicht gut? Sie zittern ja!" Fisher klang besorgt und griff erneut nach meinem Arm.

Ich schüttelte den Kopf, blinzelte mit den Augen und lächelte vorsichtig zurück. „Es ist nichts, ich war nur in Gedanken."

Erleichtert ließ Fisher mich los und redete weiter: „Mein Vater hat auch schon Kontakt mit einer Kunstgalerie aufgenommen."

Warum stellt niemand den Ton ab?, fragte ich mich. Der alte Film ist doch schon lange zu Ende und die Hauptdarsteller sind gegangen. Warum hört er nicht auf zu reden, warum verschwindet er nicht auch? Unsere Rollen sind gestrichen, das Spiel ist aus.

Fishers Stimme schien weit weg zu sein, trotzdem verstand ich genau, was er sagte: „Das Interesse an Ihren Arbeiten ist sehr groß. Vielleicht kommen Sie bald einmal nach Kanada und besuchen uns."

Wir schwiegen nun beide, während um uns herum die Besucher plauderten und lachten. Eine seltsame Spannung baute sich erneut zwischen uns auf. Ich schaute auf die Hand, die wieder auf meinem Arm lag. Ich sah den Ehering an Fishers Ringfinger, und dass er dieselben schönen, schlanken Hände hatte wie sein Vater.

Ich schüttelte die Hand mit einer sehr bestimmten Armbewegung ab und sah ihm dabei ins Gesicht. Er fand das wohl provozierend und aufreizend, denn er schaute mich herausfordernd an. Und so war er verwundert, wie hart und kalt meine Stimme klang, als ich ihm sagte: „Ich hasse Verdoppelungen, Mister Fisher. Und ich fürchte mich vor allen alten Geschichten und besonders vor Wiederholungen. Das verstehen Sie doch sicher. Und dass die Ausstellung jetzt stattfindet, ist auch kein Zufall. Als ich neunundzwanzig und dann dreißig Jahre alt geworden war, hatte ich eine schreckliche und für Sie wahrscheinlich unvorstellbare Angst. Ich fürchtete mich davor, krank zu werden, krank wie meine Mutter, als sie genauso alt war wie ich. Diese grausame Angst beherrschte mein Leben, hielt die Zeit an. Noch einmal hatte ich keine Zukunft mehr. Aber nun ist auch das vorbei und überstanden."

Nach einem kurzen Schweigen sagte ich: „Ich weiß nicht, was ich getan hätte, wenn ich krank geworden wäre, wenn auch ich MS bekommen hätte. Vielleicht hätte ich dann zuerst Ihren Vater und am Ende mich umgebracht. Schauen Sie nicht so entsetzt! Und weil ich ihm genau das sagen wollte, habe ich ihn eingeladen, diesen falschen Engel Gabriel."

Die letzten Worte hatten böse geklungen und sicherlich rätselte Jonathan Fisher, ob ich wirklich „Engel“ gesagt hatte. Er ergriff meine Hand, vielleicht weil er spürte, wie angespannt ich war, und wohl auch, weil er mich noch einmal fühlen wollte. Und für einen ganz kurzen Augenblick genoss ich wieder seine Berührung. Aber sofort schämte ich mich für diese neue Schwäche und entriss ihm meine Hand umso heftiger, wobei sein Ehering die Haut auf meinem Handrücken aufschürfte. Nach diesem kurzen, scharfen Schmerz fühlte ich mich endlich ganz frei.

Fisher sollte nun keine Möglichkeit mehr erhalten, mir zu nahe zu kommen. Deshalb schlug *Double-Jou* vor: „Ich führe Sie jetzt durch die Ausstellung, damit Sie zu Hause auch etwas zu erzählen haben.“

Zwischen meinen Arbeiten lebte ich in einer ganz eigenen Welt. Dort fühlte ich mich sicher, sicher auch vor ihm.

Am Ende des Rundgangs standen wir unter der zentralen großen Installation der Ausstellung. Sie ist beim Publikum und bei der Kritik besonders gut angekommen. Die Arbeit heißt „Pollux seul“ und besteht aus einem schwarzen Konzertflügel, der verkehrt herum und an dicken Stahlseilen von der Decke hängt.

Wie die meisten Besucher blickte auch Jonathan Fisher ängstlich nach oben. Denn das glänzende Ungetüm, das mit seinen Beinen die Decke berührt, scheint jeden Augenblick herabzustürzen und alle zu erschlagen, die es gerade betrachten. Doch je länger man hinaufschaut, umso mehr schwindet diese Angst. Mit der Zeit gewahrte auch Fisher dort oben nur ein hilfloses Wesen. Das sah ich an seinem Gesichtsausdruck, der sich langsam entspannte. So funktioniert das bei fast allen Besuchern.

Nicht in festen Zeitabständen, sondern unregelmäßig und unerwartet kotzt dieses Instrument dann seine weißen und schwarzen Tasten, die Zwillinge und Drillinge, und die Hämmerchen aus. Das Klirren und Stöhnen, das dabei dem hölzernen Leib entsteigt, erschreckt nur beim ersten Mal, danach wirkt das Würgen fast komisch, ja sogar lächerlich. Und wenn sich mit dunklem Ächzen die metallenen Saiten und hölzernen Eingeweide dann wieder ins Innere der Musikmaschine zurückgezogen haben, hängt der schwarze Konzertflügel erneut einsam und still an der Decke, als ob nichts passiert wäre. Doch bald darauf erbebt und erbricht sich das geschundene Instrument von neuem.

Ich weiß, was Sie jetzt denken, liebe *Blueprint*-Leser, aber es ist falsch. Der Konzertflügel an der Decke der Galerie war nicht Mister Black. Seit zehn Jahren steht er in meiner Wohnung, ungespielt. Nur abgestaubt habe ich ihn natürlich hin und wieder.

Warum ich dieser Arbeit den Namen „Pollux seul" gegeben habe, wollte Jonathan Fisher wissen. Das bin ich natürlich schon oft gefragt worden. Ich antworte dann immer mit der folgenden kleinen Geschichte: „Kastor und Pollux waren die Zwillingssöhne der Leda und des Zeus. In Gestalt eines Schwanes und unter dem Gipfel des Taygetos zeugte er diese Kinder, die aus einem Schwanenei geschlüpft sind. Die Brüder beherrschten Wind und Wellen und die Seefahrer machten sie zu ihren Schutzpatronen. Als Kastor – dieser Zwilling war sterblich – im Kampf fiel, kam er in den Hades. Der unsterbliche Pollux dagegen wurde von Zeus in den Götterolymp aufgenommen. Doch die beiden wollten sich nicht trennen. Deshalb vereinbarten sie, jeweils einen Tag in der Unterwelt und dann einen

Tag im Olymp zusammen zu verbringen. Das zumindest erzählen Legenden über diese unzertrennlich Getrennten.

Die Hauptsterne im Sternbild des Zwillings tragen bis heute ihre Namen. Am Himmel also sind Kastor und Pollux auf ewig vereint. Ich aber lasse Pollux am Himmel allein. Mein Kastor folgt ihm nicht, er bleibt lieber im Hades und lebt dort allein weiter. Auch ich lebe weiter."

Zweites Ende, im Monat Juni
des 32. Jahres

Ego-Klon

Epilog

Der Bericht *Blueprint* ist einer der ersten Klon-Berichte, den eine Betroffene selbst verfasst hat. Dieses Klon-Psychogramm wurde inzwischen in vielen Aspekten auf seine Allgemeingültigkeit für Ego-Klone bestätigt. Ego-Klone nennt man die Kinder von Klon-Vätern und Klon-Müttern vom Typ Egomane, für den Iris Sellin sicher sehr typisch war.

Einige von Siri Sellin zum ersten Mal verwendete Begriffe gehören heute zum alltäglichen Sprachgebrauch. Die wichtigsten sind: Das Klon-Elter, die Klonschaft und ganz sicher die Wortschöpfung Missbrut. Langsam setzen sich auch Muzwi bzw. Vazwi als Ansprache für das Klon-Elter durch.

Erste Daten zur psychischen Gesundheit von Klon-Kindern konnten jetzt auch ausgewertet werden. Erfasst wurden 234 Fälle, bei denen der Klon älter als 15 Jahre war.

Wie sich durch die Untersuchung herausstellte, ist die Selbstmordrate in der Stichprobe gegenüber den normal gezeugten Kindern nur leicht erhöht (+1%). Auffällig sind dagegen die vermehrten tätlichen Angriffe auf das Klon-Elter (+30%). Während in der Gruppe der 10- bis 15-jährigen *Natural Kids* (abgekürzt *NKs)* Tötungsdelikte gegen Vater und Mutter so gut wie nicht vorkommen, wurden inzwischen 30 *Clone Kids* (abgekürzt *CKs)* des Mordes oder versuchten Mordes an ihrem Klon-Elter überführt. In diesen Fällen wurde die Klonierung fast immer als mildernder Umstand gewertet und die *CKs* in der Regel einer langfristigen psychologischen Behandlung durch spezielle Herkunftstherapeuten unterzogen.

Es zeichnet sich bereits ab, dass die Erfolgs- oder besser Heilungsrate enorm hoch ist. Besonders nach dem Tod eines Klon-Elter gründen nicht wenige Klone eigene Familien, wobei deren Nachkommen meistens *Natural Kids* sind. Dass sich ein Klon-Spross noch einmal klonen lässt, wurde noch nicht beobachtet.

Sehr auffällig ist der extrem hohe Intelligenzquotient bei geklonten Nachkommen, wenn sie mit *NKs* aus denselben sozialen und intellektuellen Milieus verglichen werden. Gute Anlagen ebenso wie schlechte scheinen sich zu verstärken. Die Ursachen hierfür sind noch unbekannt.

Eine interessante Hypothese wurde an einigen Stellen im Bericht *Blueprint* – fast intuitiv, möchte ich sagen – von Siri Sellin angedacht. Sie lautet: Der genetische Code eines Menschen speichert auch seine Lebenserfahrung, d. h. die Lebenszeit verändert genetische Information. Es könnte also sein, dass Geschichte auch auf genetischer Ebene bewahrt wird und nur das Klonen dieses Guthaben auch erhalten und an die Nachkommen weitergeben kann. Dadurch hätte schon das Klon-Kleinkind – sehr vorsichtig formuliert – eine vollständigere genetische Ausstattung als das Klon-Elter und auch als normal gezeugte Gleichaltrige, was das Lernen und Begreifen betrifft. Auch deshalb halte ich *Blueprint* für ein interessantes Dokument: Vielleicht zeigt es uns ja den typischen Klon-Blick. Denn dass der vorliegende Bericht in dieser Form vor zehn Jahren von einer sehr jungen Frau geschrieben wurde, finde ich höchst bemerkenswert.

Ob eine Art Lebens- oder Persönlichkeitsgedächtnis tatsächlich biochemisch und auf molekularer Ebene kodiert und dadurch weitergegeben werden kann, ist noch reine Spekulation.

Aber jahrhundertelang war für die Menschheit auch unvorstellbar, dass es so etwas wie Gene gibt und dass diese unser Aussehen, unsere Persönlichkeit und unser Verhalten in hohem Maße festlegen. Erst sehr spät – im letzten Jahrhundert – hat die Wissenschaft auch bewiesen, dass wir nicht mit dem Herzen, sondern mit dem Gehirn denken und fühlen und Liebe oder Hass letztlich auch nur auf elektrische und biochemische Signalübertragungen gründen.

Blueprint ist inzwischen Pflichtlektüre für alle Männer und Frauen geworden, die bei der „Kommission für Fortpflanzungsfortschritt" *(Commission for Reproductive Progress, CRP),* die in allen größeren Städten Büros unterhält, einen Antrag auf Klonierung stellen.

Klon-Erlaubnisse können unsere Fachleute aufgrund der eingereichten Unterlagen erteilen, wenn sie diese für stimmig und ausreichend halten. Für Medi-Klone existieren sowieso feste Richtlinien, die von den Ärztekammern erarbeitet wurden.

Bei Bedenken müssen sich potentielle Klon-Eltern einem psychologischen Gespräch unterziehen. Darin wird geprüft, inwieweit die Erwartungen an den Ego-Klon zumutbar sind, also ob sie über ein gesundes Maß hinausgehen und demzufolge ein sicherer Fall von Missbrut vorliegen würde.

Nach unseren heutigen Kriterien und Erfahrungen wäre Iris Sellin wahrscheinlich ein Grenzfall gewesen, wobei ich persönlich ihrem Antrag auf Klonschaft zugestimmt hätte.

Deshalb freue ich mich natürlich besonders, dass Siri Sellin meiner Bitte nachgekommen ist und *Blueprint* aktualisiert hat. Zehn Jahre nach der Erstfassung hat sie den Text durch das letzte Kapitel *Pollux seul* ergänzt. Es zeigt, wie viel Lebenswille und – ich scheue mich auch nicht zu sagen – Lebenskraft in dem Klon *Double-Jou* steckt, wie übrigens in den meisten Klonen: Am Ende können, ja, müssen sie sich zu lebensfähigen Individuen entwickeln. Und das macht sie so besonders stark.

Eine Angst vor dem gesellschaftlichen „Klon-Gau" ist unbegründet: Klone sind im Kommen, aber sie überrennen uns ganz sicher nicht. Die Erlaubnis, sich zu duplizieren, können in Deutschland maximal 0,32 Prozent der fortpflanzungsfähigen Bevölkerung erhalten. Das entspricht der natürlichen Geburtsrate von eineiigen Zwillingen. So wird sichergestellt, dass die von der Natur gewollte genetische Vielfalt gewahrt bleibt.

Die Klon-Erzeugung findet inzwischen in kompetenten, staatlichen Kliniken statt. Die Kosten werden nicht von den Krankenkassen übernommen.

Für das nächste Jahr liegen der *CRP* bereits 5 200 Klonschaftsanträge vor, die Hälfte davon haben Singles gestellt, die andere Hälfte wurde von Paaren eingereicht. Die Zahlen sind seit der Gründung der *CPR* ständig gestiegen, doch es wird noch Jahrzehnte dauern, bis die gesellschaftlich erlaubte Klon-Rate von 0,32 Prozent voll ausgeschöpft werden wird.

Professor Dr. Erika Knieper
1. Vorsitzende der *CRP* und Inhaberin des Lehrstuhls für Humangenetik an der ersten deutschen Frauenuniversität *Hildegard von Bingen* in Hannover

Nachwort der Autorin

Die Meldung von der Geburt des ersten Klonkindes Eve ging Ende Dezember 2002 um die Welt. Für kurze Zeit schien tatsächlich die Ära der Menschenklone angebrochen zu sein, hielten viele – auch ich – diese Klongeburt für wahrscheinlich. Die Zeitungen dichteten passend zur Weihnachtszeit „Ihr Klonkinderlein kommet“ und mein Roman *Blueprint* war plötzlich keine *Sciencefiction* mehr. Auf beklemmende Weise machte der vermeintliche Klon Eve, der sich bald als Falschmeldung und ausgeklügelter Werbegag einer Sekte entlarvte, klar, wie unglaublich *fiction* und *facts*, Phantasie und Tatsachen, sich bereits angenähert haben.

Als ich Mitte der neunziger Jahre begann, die noch unmögliche Geschichte von Iris und Siri Sellin zu erzählen, musste ich nur das bereits Mögliche weiterdenken. Und das Mögliche, das den allerersten Anstoß für dieses Buch gab, geschah bereits im Oktober 1993. Zwei amerikanische Wissenschaftler spalteten menschliche Embryonen in der Schale (*in vitro*) mit „mikrochirurgischen Methoden“ und schufen so zum ersten Mal „künstliche Zwillinge“. Aus den Zwei- und Achtzellern wurden zwei bis acht Zellen mit identischen Genen, die sich tatsächlich weiterentwickelten: der Rohstoff für menschliche Klone. Die Forscher vernichteten die Embryonen im 32-Zellstadium und präsentierten ihr Experiment der Öffentlichkeit.

Was die Forscher taten, wurde in der Tierzucht seit langem praktiziert und brachte keinerlei neue Erkenntnisse. Der Tabubruch allein war das Ziel und ein Signal, ein lautes Warnsignal.

Denn als eigentliche Herausforderung galt die Herstellung der Kopie eines erwachsenen Säugetieres, also die Erschaffung von eineiigen Zwillingen, die eine Generation trennt. Und genau das verkörpern die zwei Hauptpersonen dieses Buches: Die Klon-Mutter Iris und ihre Blaupause, die Tochter Siri.

Ich steckte bereits mitten in der Arbeit an dieser Zukunftsgeschichte, als auch mich das Schaf Dolly überraschte, das schon 1996 geboren worden war, aber wegen Patentfragen erst 1997 der Weltöffentlichkeit präsentiert wurde. Dolly war das erste Säugetier, dessen Klonierung aus den Euterzellen eines erwachsenen Schafes gelang. Geklonte Kälber und Mäuse folgten geschwind, Klon-Affen ließen einige Zeit auf sich warten. Je sicherer die Methode und je höher die Erfolgsrate, umso näher rückt die Zeit, in der Menschenklone gemacht und mit uns leben werden (s. dazu *Was kann die Wissenschaft?*, S. 185).

Augenblicklich weilt der Klon auf viel subtilere Weise unter uns: in unserer Sprache. Der Begriff „Klonen“ wurde in den letzten Jahren nicht nur gesellschaftsfähig, sondern hat regelrecht Karriere gemacht: Statt „ähnlich“ wird oft das Wort „geklont“ gebraucht, statt „Doppelgänger“ sagt man lieber „Klon“. Auch in Büchern und Filmen hat die menschliche Kopie Konjunktur, meistens als Witzfigur, manchmal aber auch als Zombie oder Schreckgespenst. In diesem Roman dagegen ist der Blueprint Siri Sellin zuallererst ein Kind, ein Mädchen, eine Tochter, also ein Mensch wie jede und jeder von uns.

Blueprint spielt, wie schon mein erster Roman *Geboren 1999,* in der „schönen neuen Welt“ der Fortpflanzungsmedizin. Beide Bücher erzählen, was die Anwendung wissenschaftlicher Erkenntnisse für einen einzelnen Menschen bedeuten kann, was dieser „Fortschritt“ mit und in jemandem anrichtet. Im Zentrum der Geschichte stehen also nicht die Macher und ihre Methoden, sondern die Gefühle der produzierten Kinder und ihre Identitätssuche im anbrechenden „ART-Zeitalter". Dieser Begriff ist ein Wortspiel, das der Vater der Verhütungspille, Carl Djerassi, geprägt hat: ART – englisch für Kunst – ist die Abkürzung von *artificial reproductive techniques* (künstliche Fortpflanzungstechniken).

Was 1978 mit dem „Retortenbaby" begann, führte 1996 zur Geburt von Schaf Dolly und wird zu Beginn des dritten Jahrtausends sehr wahrscheinlich mit der Geburt des ersten Menschenklons, des ersten echten Designerbabys oder KUNST-Menschen enden – der Beginn einer Zuchtwahl. Zum ersten Mal wäre dann der Zufall ausgeschaltet, würde ein Mensch tatsächlich produziert.

Das erste große internationale Klon-Geschäft ist bereits angelaufen, zwar nicht mit Menschen, jedoch mit alten oder verstorbenen Haustieren unter dem Motto *„clone a pet"*. In Genbanken und Bioboxen lagern gegen Geld die Gewebeproben unzähliger vierbeiniger Lieblinge und warten auf eine zukünftige Auferstehung. Die jedoch glückte bislang bei keinem Hund, obwohl ein Öl-Milliardär sehr großzügig das Klonprojekt „Missyplicity" inklusive eines kompletten Forscherteams finanzierte, um seine Collie-Hündin Missy weiterleben zu lassen.

In dem Aufsatz „Laßt uns einen Menschen klonieren. Betrachtungen zur Aussicht genetischer Versuche mit uns selbst" stellte der Philosoph Hans Jonas schon Anfang der achtziger Jahre fest: „Der Tierzüchter *weiß* jeweils, was er vom Tier will." Doch Jonas fragte weiter: „Aber wissen wir auch, was wir vom Menschen wollen?"

Ein Blick zurück, und zwar in den Sommer 1998, als das Manuskript von *Blueprint* vorlag. Damals fragte das Nachrichtenmagazin *Der Spiegel* den amerikanischen Molekularbiologen Lee Silver: „Wann, glauben Sie, wird der erste geklonte Mensch geboren werden?“ Der Verfasser des Buches „Das geklonte Paradies“ antwortete: „Als die Nachricht vom Klonschaf Dolly um die Welt ging, hätte ich gedacht: in zehn Jahren. Jetzt glaube ich: in fünf Jahren.“ Stimmt seine Prognose, würde 2003 zu dem in meinem Roman genannten Jahr Null werden, dem Jahr, in dem der erste Menschenklon geboren wird.

Wenige Monate nach diesem Interview im Dezember 1998 (die erste Auflage dieses Buches ging gerade in Druck) klonten zwei koreanische Forscher tatsächlich zum ersten Mal einen Menschen – und zwar genau wie in *Blueprint* eine dreißigjährige Frau! – mit der Dolly-Technik. Der Tabubruch allein war hier erneut das Ziel, denn die Mediziner vernichteten diese „Klony“ im 32-Zell-Stadium.

Laut einer Umfrage Ende des 20. Jahrhunderts halten Experten das „reproduktive Klonen“, auch Fortpflanzungsklonen genannt, für „unvermeidlich“ und „unaufhaltbar“. Wirklich gestritten wird höchstens noch über das Wann: Wird es in drei, fünf oder doch erst in zwanzig Jahren so weit sein?

Ich mache mir keine Illusionen: Menschen werden sich klonen lassen im Namen der Fortpflanzungsfreiheit. Und Forscher werden nicht nur Tiere klonen, sondern sich auch an Menschen wagen, weil sie das „absolute Menschenrecht, Nachkommen zu haben“ über alles stellen, so wie der italienische Gynäkologe Severino Antinori. Im Jahr 2002 verkündete er, dass zehn Paare, bei denen die klassischen Verfahren der Reagenzglas-Befruchtung versagt hätten, bereit seien für den Klonnachwuchs.

Als der Forscher gefragt wurde, ob eine unverwechselbare genetische Identität zu haben denn kein Menschenrecht sei, entgegnete er: „Das ist jetzt sehr theoretisch."

Zu theoretisch, zu schwierig, zu unrealistisch – seit längerem gewinnen solche Argumente gegen das reproduktive Klonen an Raum. Besonders die Frage „Sind Menschenklone überhaupt gesund oder ist ihre Produktion medizinisch zu riskant?" rückt immer stärker in den Mittelpunkt einer Debatte, die sich mehr und mehr auf die rein naturwissenschaftliche Ebene verlagert hat und immer pragmatischer wird. Doch würde die Klonmethode perfektioniert und sicherer, gäbe es keine medizinischen Grenzen mehr und ein Klonverbot verlöre jede Rechtfertigung. Was dann?

In dieser schwierigen Debatte lassen uns allgemeine Hinweise auf die Natürlichkeit und Menschenwürde, auf alte biologische Gesetze ein wenig hilflos zurück. Denn das Klonen von Menschen begründet ohne Zweifel „eine bisher unbekannte Art der interpersonalen Beziehung zwischen genetischem Vor- und Abbild", schreibt der Frankfurter Philosoph Jürgen Habermas. „Soweit ich sehen kann, müsste das Klonen von Menschen jene Symmetriebedingungen im Verhältnis erwachsener Personen untereinander verletzen, auf der bisher die Idee der gegenseitigen Achtung gleicher Freiheiten beruht." Anders formuliert: Der Klon zahlt für die Freiheit des Vorbildes, an dem er sich misst und gemessen wird, mit einem zu hohen Maß an Unfreiheit. Er ist eine Art Sklave, doch nicht einfach ein Sklave seiner Gene, sondern der Erwartungen der anderen, die von seiner Klonexistenz wissen, und des Kloners, der ihn allein für seine Interessen, etwa eine „Unsterblichkeit", nutzen will.

Dolly und ihre vielen tierischen Nachfolger sind stumm und werden es immer bleiben. Ein Artikel über die ersten tierischen Klonversuche trug denn auch – in Anlehnung an einen bekannten Psychothriller – den passenden Titel „Das Schweigen der Lämmer". Menschenklone dagegen könnten von sich und ihren Gefühlen sprechen – und genau das wagt Siri Sellin. In *Blueprint* erzählt sie von ihrem Klonwerden und Klon(bewusst)sein: Wie fühlt es sich an, nur eine Kopie zu sein? Das ganze innere Klon-Drama machte eine Schülerin nach einer Lesung aus *Blueprint* mit der Frage deutlich: Kann man auch die Seele klonen?

Ein weltweites Klonverbot für Menschen wird inzwischen gefordert, doch noch hat die UN keine entsprechende Resolution gegen das „Fortpflanzungsklonen" verabschiedet. Hier sind die europäischen Staaten weiter: Das „reproduktive Klonen" wird in der neuen EU-Charta der Grundrechte als Verstoß gegen die Menschenwürde geächtet (s. auch S. 189).

„Bei der Definition der Menschenrechte werden wir in Zukunft darüber nachdenken müssen", fordert der Autor und Philosoph Rüdiger Safranski, „ob der Mensch ein Recht darauf hat, geboren und nicht gemacht zu werden; ob er ein Recht hat, dass nur der Zufall, das Schicksal oder, sofern man daran glaubt, ein höhere Bestimmung, nicht aber eine planmäßige Herstellung ihm seine angeborenen Eigenschaften geben darf."

Brauchen wir bald ein menschliches *Copyright*?

Mein erstes Nachwort zu diesem Roman endete mit den Sätzen: Was persönliche und gesellschaftliche Moral im Fall des Klonens bedeutet, darüber muss weiter diskutiert werden. Und was Mut zur Moral bedeutet, darüber muss gerade auch im Einzelfall gestritten werden. *Blueprint* ist ein Buch zum Streiten.

Vier Jahre später und angesichts der rasanten wissenschaftlichen Entwicklung ist genau das nötiger denn je. Denn das ART-Zeitalter, in dem Menschenwürde und Individualität antastbar geworden sind, hat – auch ohne einen bereits lebenden Klon – längst begonnen.

Lübeck, im Juli 2003 *Charlotte Kerner*

Was kann die Wissenschaft?

Einen Menschen künstlich herzustellen, den normalen Zeugungsakt und den Zufall zu ersetzen, ist einer der ältesten Menschheitsträume. Die moderne „Reproduktionsmedizin“ könnte in Zusammenarbeit mit der Gentechnik diesen Traum erstmals verwirklichen und steht doch noch ganz am Anfang. Die alten Alchimisten träumten von einem „Homunculus“, heute gibt es Retortenbabys, und Menschenklone sind keine Hexerei mehr, sondern im Prinzip machbar.

Retortenbabys und zeitgleiche Klone

Im Jahre 1978 gelang es zum ersten Mal, außerhalb eines Frauenkörpers in einer Glasschale *(in vitro)* mit menschlichen Ei- und Samenzellen einen Embryo zu zeugen. Dieser wird im Vierzellstadium in die Gebärmutter einer Frau zurückgespült, wo eine normale Schwangerschaft beginnen kann. Das Ergebnis einer solchen gelungenen „Fertilisation“ (Befruchtung) heißt wissenschaftlich korrekt IVF-Kind, sein populärer Name „Retortenbaby“. Diese extrakorporale Zeugung (IVF) kommt heute bei weiblicher und männlicher Unfruchtbarkeit zum Einsatz, hunderttausende gesunde Kinder verdanken dieser Methode inzwischen ihr Leben.

Bei einem „Retortenbaby“ greift niemand in die Erbanlagen von Vater und Mutter ein. Wie bei jeder natürlichen Zeugung entscheidet der Zufall, wie sich die mütterliche und väterliche Erbanlagen mischen, wer und wie ihr Kind sein wird.

In der Tierzucht ist es seit den siebziger Jahren üblich, wertvolle Embryonen, die man aus dem Uterus eines Muttertiers herausgespült hat, im Vier- und Achtzellstadium auseinander zu pflücken. Jede Zelle ist noch „allmächtig“ (totipotent), d. h., sie teilt sich weiter und entwickelt sich zu einem gesunden Tier. Dieses „Embryo-Splitting“ schafft künstlich Mehrlinge (Zwillinge, Vierlinge oder Achtlinge), also Lebewesen mit einer identischen Erbinfomation, auch „zeitgleiche Klone“ genannt.

Im Oktober 1993 bewiesen zwei amerikanische Forscher, dass sich auch in der Schale erzeugte Menschenembryonen mit mikrochirurgischen Methoden teilen lassen und dabei entwicklungsfähig bleiben. Lebende Menschenklone wurden auf diese Weise noch nicht erzeugt.

Auf dieser Welt leben jedoch bereits „zeitversetzte Zwillinge“ mit identischen Genen, wenn auch nicht bewusst geplant: Als sich *in vitro* gezeugte Embryonen spontan teilten, froren die Mediziner in mehreren Fällen einige dieser zufällig entstandenen „eineiigen Zwillinge“ ein. Erst zwei bis drei Jahre später erblickten die *frosties* das Licht der Welt und gesellten sich zu ihren Zwillingsschwestern oder -brüdern.

In der Schale gewonnene Embryozellen ließen sich auch über mehrere Jahre kryokonservieren (einfrieren): Rohstoffe für Klone, die z. B. als zukünftige Gewebe- und Organspender für das Ursprungskind dienen könnten. Oder sie wären eine auf Eis gelegte „Absicherung“ für den Fall, dass ein besonders gelungenes, in der Retorte gezeugtes Kind stürbe. Dann läge sein Klon-Zwilling als Ersatz bereit. Doch solche Überlegungen – Stoff zahlreicher Sciencefiction-Romane – sind inzwischen durch das therapeutische Klonen (s. S. 189) fast überholt.

Reproduktives Klonen: Dolly und die zeitversetzten Klone

Seit den fünfziger Jahren klonen Genetiker Lebewesen, erzeugen sie Kopien von Pflanzen oder Tieren, Zellen oder Mikroorganismen. Doch ein ausgewachsenes Säugetier noch einmal zu erschaffen, gelang erst im Jahr 1996. Damals verpflanzten schottische Forscher die Erbinformation aus der Euterzelle eines sechs Jahre alten Schafes in eine „leere", d.h. entkernte Eizelle. Nach 277 Versuchen konnten sie durch Elektroschocks eine normale Entwicklung „zünden": Die Erbinformation wurde „reprogrammiert", die bestückte Eizelle begann sich zu teilen. Der in den Uterus eines Leihmutter-Schafes eingepflanzte Embryo entwickelte sich normal und das Klon-Schaf Dolly wurde im Juni 1996 geboren, doch erst Anfang 1997 der Weltöffentlichkeit präsentiert. Es war die exakte Kopie der ausgewachsenen Zellspenderin, auch „Adultklon" genannt.

Dolly machte den Begriff „reproduktives Klonen" weltweit populär: Er bezeichnet das Klonen zu Fortpflanzungszwecken, das genetisch identische Nachkommen hervorbringt, wobei zwischen dem Geber des Erbgutes und seinem Zwilling Generationen liegen können.

Das Dolly-Experiment wurde nicht nur vielfach wiederholt, sondern inzwischen verbessert: Im Sommer 1998 präsentierten Forscher aus Honolulu ihre Mäuseklone, bei denen schon jeder 50. Anlauf erfolgreich gewesen war. Die Erbinformation hatten sie den Cumulus-Zellen, die im weiblichen Eierstock die Eier umgeben, entnommen und die Zellteilung chemisch angeregt.

Was bei einem Säugetier machbar ist, lässt sich im Prinzip auf den Menschen übertragen. Das bewiesen koreanische Forscher schon im Dezember 1998: Sie klonten eine 30-jährige Frau mit der Dolly-Technik und vernichteten ihren Klon im 32-Zell-Stadium. Die Zahl der Versuche verschwiegen die Wissenschaftler.

Sieben Klone bei 100 Versuchen – diese Rate nennt die Forschergruppe um den Mediziner Antinori, der seit 2002 mehrmals die Geburt des ersten geklonten Kindes angekündigt hat, aber bislang immer falschen Alarm auslöste. Auch bei dem angeblich Ende 2002 geborenen Klonmädchen Eve lag der einfache Beweis, eine DNA-Analyse, nicht vor.

Die medizinischen Probleme beim Menschenklonen scheinen größer und schwieriger beherrschbar als im Tierreich. Dort führt inzwischen etwa jeder 100. Klonversuch nach der Dolly-Methode zur Geburt eines Jungtieres. Jedoch soll die Hälfte dieser Klone Missbildungen am Herzen, den Nieren oder der Lunge haben. Manche Kopien scheinen auch schneller zu altern oder zeigen veränderte Alterserscheinungen. Bestimmte Zellstrukturen (Telomere), die sich im Laufe eines Lebens verkürzen, wurden genauso in frisch geborenen Klonen gefunden. Ist die Kopie biologisch also doch genauso alt wie das Tier, aus dessen Zellen seine Erbinformation stammt?

Diese Spekulation bekam neue Nahrung, als Dolly im Februar 2003 wegen einer nicht mehr beherrschbaren Lungenentzündung eingeschläfert wurde. Das wohl berühmteste Schaf der Welt wurde nur sechs Jahre alt, die Hälfte des für seine Artgenossen üblichen mittleren Alters von zwölf Jahren. Aber das könnte genau wie Dollys Arthrose ein unglücklicher Zufall, eine Vererbung sein. Schließlich leben immer mehr Tierklone, vom Maultier bis zum Affen, und auch Klone von Klonen erwiesen sich durchaus als gesund und wurden normal alt.

Mediziner, die ans Menschenklonen denken, versichern, dass sie den Embryo nicht nur in der Glasschale auf genetische Abnormalitäten testen, sondern den Klon in der frühen Entwicklungsphase im Mutterleib auch streng überwachen würden. Beim leisesten Verdacht auf Fehlbildungen bliebe immer noch die Abtreibung. Wer sich hier empört, muss sich erinnern: Auch die Geburt des ersten IVF-Kindes gelang erst nach dutzenden von Versuchen und auch diese Methode war anfangs mit ähnlichen Ängsten belastet: „Sind die Kinder normal und gesund? Entstehen hier Monster aus der Retorte?" Heute gilt die Retortenzeugung fast schon als Routineeingriff.

Der „Fall Dolly" war, als das Deutsche Embryonenschutzgesetz Anfang 1991 verabschiedet wurde, noch nicht vorauszusehen. Ein ausdrückliches Verbot dieses „reproduktiven Klonens" ist national noch geplant, ähnlich wie in der neuen Grundrechte-Charta der Europäischen Union: In Kapitel I, *Würde des Menschen,* sichert dort der Artikel 3 das *Recht auf Unversehrtheit.* In Absatz 2 heißt es :

„Im Rahmen der Medizin und der Biologie muss insbesondere Folgendes beachtet werden:

* das Verbot, den menschlichen Körper und Teile davon als solche zur Erzielung von Gewinnen zu nutzen,
* das Verbot des reproduktiven Klonens von Menschen."

Therapeutisches Klonen: leibliche Organspender

Zu Beginn des 21. Jahrhunderts haben die Wissenschaftler das „therapeutische Klonen" entwickelt, das – wie sein Name sagt – Krankheiten heilen oder lindern soll. Dafür stellen dic Forscher nach der Dolly-Methode Embryonen her und entnehmen der zwischen dem 4. und 7. Tag entstehenden Blastozyste

„embryonale Stammzellen". Diese Zellen sind Vielkönner (pluripotent), aus ihnen entwickeln sich noch sämtliche Zellen und Gewebe eines Organismus. In bestimmten Nährlösungen konnten Wissenschaftler bereits gezielt Haut- und Herzmuskelzellen wachsen lassen, an der Produktion von Nervenzellen und Insulin produzierenden Zellen wird gearbeitet. Auf diese Weise gewonnenes gesundes Gewebe könnte das kranke ersetzen, also zur „Therapie" werden. Die Erwartungen sind hoch, eine wirkliche Heilung ist bislang jedoch noch nie gelungen.

Für den Erbgutgeber hätten die gezüchteten gengleichen Produkte einen großen Vorteil: Sie würden nicht wie fremdes Material, z. B. ein Spenderherz, abgestoßen, sondern als körpergleich erkannt. Genau deshalb hoffen Forscher, in Zukunft auch vollständige Organe, etwa Herzen oder Nieren, züchten zu können. Derjenige, der sich klonen lässt, würde damit zu seinem eigenen leiblichen Organspender.

Doch dürfen menschliche Embryonen allein als Stammzellenlieferant erzeugt und verbraucht werden? Das deutsche Embryonenschutzgesetz verbietet auch diese „verbrauchende Embryonenforschung" und damit das Klonen für therapeutische Zwecke. Im Ausland, z. B. in England, ist beides erlaubt, ebenso in Israel. Von dort importieren deutsche Wissenschaftler inzwischen nach langen politischen Debatten „embryonale Stammzellen für Forschungszwecke", jedoch unter den strengen Auflagen des 2002 verabschiedeten „Stammzellgesetzes".

Jegliche Forschung zum therapeutischen Klonen kommt automatisch dem reproduktiven Klonen zugute, denn bis zur Erzeugung des Embryos sind die Verfahren identisch. Hier eine klare Trennungslinie via Gesetz zu ziehen, ist zumindest sehr schwer. Insofern ebnet das therapeutische Klonen ohne Zweifel den Weg für das Fortpflanzungsklonen, weil wissenschaftliche Fortschritte immer beide Erfolgsraten steigern.

Rar sind die für das therapeutische Klonen benötigten menschlichen Eizellen. Deshalb wurden im Herbst 2000 zum ersten Mal entkernte Eizellen von Schweinen verwendet und erfolgreich mit dem menschlichen Genmaterial bestückt. Auf diese Mischembryonen, diese Chimären oder Mischwesen aus Mensch und Schwein, meldeten zwei Firmen ein internationales Patent an, doch nach öffentlichen Protesten zogen sie ihren Antrag zurück. „Zum ersten Mal gestehen Firmen ein, dass ihre Ansprüche zu weit gehen und gegen ethische Vorstellungen verstoßen", kommentierte der Gentechnik-Experte von Greenpeace diesen Fall.

Der Forschungsengpass „menschliche Keimzellen" könnte bald der Vergangenheit angehören. Denn im Frühjahr 2003 gelang Forschern in den USA ein sensationelles Experiment: Sie züchteten Eizellen aus embryonalen Stammzellen und beobachteten quasi einen „Eisprung" in der Retorte. Und in japanischen Labors entwickelten sich fast zeitgleich aus demselben embryonalen Rohstoff Vorstufen von Spermien. Damit stürzen die letzten Barrieren der Reproduktionsbiologie: Forschung fast grenzenlos.

Zukunfts(alb)träume: Designerkinder, PID & Co

Eine gezielte Auswahl von Kindern mit bestimmten Eigenschaften ist zurzeit nur in der Retorte möglich, und zwar mit Hilfe von PID. Das Kürzel steht für den Fachbegriff „Präimplantationsdiagnostik". Den durch IVF entstandenen Embryonen werden zwei Zellen entnommen und auf ein bestimmtes genetisches Muster hin untersucht. Eltern wollen z. B. wissen, welches potentielle Kind Träger einer schweren Erbkrankheit ist, um kranke Embryonen absterben zu lassen und nur gesunde zu „implantieren".

Inzwischen haben Väter und Mütter im Ausland durch vorgeburtliche Gen-Checks sicherstellen lassen, dass das Geschlecht des zukünftigen Familienzuwachses die „Familienbalance" nicht stört oder der Nachwuchs als Knochenmarkspender für sein lebendes krankes Geschwister taugt. Im letzten Fall haben die Mediziner gegen den Begriff „Designerbaby" protestiert: Sie hätten doch nur die Wahrscheinlichkeit, passendes Gewebe zu erhalten, von 25 auf 98 % gesteigert.

PID ist in Deutschland verboten, ein sehr strenge Indikationsliste für schwere Erbkrankheiten jedoch im Gespräch. Befürworter verweisen auf das Leid, das diese Methode verhindern könne. Kritiker dagegen warnen vor einer neuen „liberalen Eugenik", die anmaßend über lebenswert oder lebensunwert urteile.

Während PID „nur" Auslese ist, gäbe das Klonen den Eltern noch mehr Macht. Sie könnten zum ersten Mal entscheiden, welche Gene ihre Tochter oder ihr Sohn erben soll. Der Klon wäre damit das erste wirklich echte Designerbaby.

Das im Roman erwähnte sichere „Fisher'sche Klonverfahren" existiert noch nicht. Aber *eine* sehr wichtige Voraussetzung dafür wurde Anfang 2000 durch das *Human Genom Project* (HUGO) erfüllt: Die vollständige Kartierung des menschlichen Erbguts ist gelungen! Eine internationale wissenschaftliche Großtat, die als Beginn einer „zweiten Schöpfung" gefeiert und gefürchtet wird.

Um jedoch wie im Buch einen „zentralen Entwicklungsschalter" (für das reproduktive Klonen) oder einen speziellen

„Schalter“ für die gezielte Zucht ganzer Organe (therapeutisches Klonen) zu orten, müssten darüber hinaus die genauen Aufgaben der einzelnen Gene und ihres Zusammenwirkens vollständig entschlüsselt sein. Hier steht die Wissenschaft noch ganz am Anfang. Aber erst wenn diese *zweite* Voraussetzung erfüllt wäre, ließen sich auch krank machende Gene eines Tages auswechseln oder „gute“ Gene einschleusen, die z. B. mehr Intelligenz oder körperliche Schönheit hervorbringen würden. Dann könnten die Kloner sogar noch ihr Ebenbild verbessern.

Wer weiß, vielleicht stellen sich Eltern in Zukunft tatsächlich einmal die vollständige Erbinformation ihres Wunschkindes nach einer Wunschliste zusammen. Manche Wissenschaftler warnen bereits vor einem Weg in eine Zwei-Klassen-Gesellschaft, in der Gen-Reiche und Gen-Arme leben werden.

Im besten Sinne augenfällig

Anmerkungen zur Verfilmung des Romans

Ein besonderes Gefühl ist es schon, seinen Romanfiguren leibhaftig zu begegnen und noch dazu überlebensgroß auf einer Filmleinwand: Iris, die geniale Pianistin, und ihre Tochter Siri, der Klon, schauen mich an. „Siehst du zwei oder vier Augen?“ Plötzlich fühle ich mich in den Roman auf Seite 50 versetzt. Vor der Leinwand werde ich als Kinobesucherin zur Teilnehmerin am Ichdu-Spiel von Iris und Siri.

In der ersten Hälfte des Films sind die zwei Frauen nur einzeln zu sehen oder in Rückblicken noch keine erkennbaren Klon-Zwillinge: Iris als Schwangere, dann als Mutter mit Baby, Siri als Kind und als Teenager mit Iris musizierend – scheinbar doch eine ganz normale Mutter-Tochter-Beziehung, eine glückliche Kindheit.

Wenn Siri manchmal alles zu viel wird, schlägt sie im Roman ohnmächtig mit dem Kopf auf die Tasten oder kann nicht mehr sehen. Im Film dagegen blutet sie aus der Nase: rote Tropfen auf weißem Elfenbein in Großaufnahme. Sie lassen mich an die Blutstropfen zu Beginn des Märchens Schneewittchen denken: „Weiß wie Schnee, rot wie Blut, schwarz wie Ebenholz“. Auch das ist die Geschichte eines Mädchens, das nicht leben sollte: „Spieglein, Spieglein an der Wand, wer ist die Schönste …?“ In der Geschichte des Klons müsste es heißen: „Wer ist die Beste, die Einzige?“

Und dann diese Szene, in der sich die beiden zum ersten Mal ebenbürtig sind: Die 19-jährige Siri betritt den Raum und setzt sich an den Konzertflügel, der dem Instrument von Iris gegenübersteht. Vor- und Abbild, getrennt durch drei Jahrzehnte, sind dank Maske und modernster Filmtechnik gemeinsam im Bild. Sie messen sich mit Blicken, die kranke Künstlerin tritt an gegen eine strahlend junge und vor Kraft strotzende Herausforderin. Dann kämpfen die beiden mit immer schnelleren Klavierläufen um Iris' Freund Christian, der amüsiert und geschmeichelt, aber auch überfordert und hilflos – wie alle im Zuschauerraum – von einer zur anderen blickt.

Franka Potente spielt Iris *und* Siri, ein Mensch ist plötzlich wirklich gedoppelt, geklont. Obwohl ich doch den Roman und das Drehbuch genau kenne, zucke ich angesichts dieses „Produkts" zusammen, das so real wirkt. Sichtbar und fühlbar wird die Grenzüberschreitung, die Iris gewagt hat.

Diese „Kampfszene" gibt es genau so im Buch nicht (S. 92, 94), aber die Szene im Film transportiert dieselben Gefühle, die zunehmend die heranwachsende Siri beherrschen, als sie sich in Christian verliebt und sich ihres Klonseins immer bewusster wird: Nicht mehr *Einklang* (Überschrift Buchkapitel 1) herrscht zwischen Mutter und Tochter, sie spielen kein *Duett* mehr (Überschrift Kapitel 2), die Kindheit ist endgültig vorbei. Jetzt vergiften *Zwietracht* und *Zweikampf* (Überschriften Kapitel 4 und 5) ihr Zusammenleben. Dieses (Klavier-)Spiel hat nichts Tröstliches mehr, das Verlockende und Vermessene, aber auch das Zerstörerische des Klonens wird hier im besten Sinne des Wortes augenfällig und zwar fern aller Theorien oder intellektuellen Überlegungen.

Schon bald nach Erscheinen des Romans im Frühjahr 1999 fragte mich die Filmproduzentin Heike Wiehle-Timm, ob ich ihr die Filmrechte überlasse. Natürlich freute ich mich über die

Anerkennung und war doch überrascht bis skeptisch. Ich hielt das Buch eher für unverfilmbar, obwohl es auch Szenen gab – etwa Siris Erzeugung oder das Ichdu-Spiel, den Sturz von der Treppe oder die misslungene Verführung von Christian bis hin zur Sterbeszene und der Beerdigung –, die fast eins zu eins filmisch umzusetzen waren.

Aber wie konnten Siris schreibende Selbstfindung, ihre verzweifelte Suche nach Identität, diese in der Ich-Form verfasste Anklage, ihre innere Klon-Welt, sichtbar gemacht werden, ohne platt zu wirken? Und wer bitte sollte die Doppelrolle Iris-Siri schauspielerisch bewältigen?

Nach einigen Gesprächen gab ich den Roman zur Verfilmung frei, auch ohne schon genau zu wissen, wohin die Filmreise am Ende führen würde, denn in einem zentralen Punkt bestand Einigkeit. Und diese inhaltliche Übereinstimmung, die vier Jahre lang die Basis der Arbeit geblieben war, fasste die Produzentin am Ende der Dreharbeiten so zusammen: „Ein Klon ist vor allem ein Mensch. BLUEPRINT ist nicht die Geschichte eines Monstrums, sondern eines Menschen. Es war überfällig, einen seriösen Film zu diesem gesellschaftlich relevanten Stoff zu machen."*

Um Iris' und Siris Geschichte für den Film erzählbar und dazu auch optisch opulenter zu machen, schuf der Drehbuchautor Claus Cornelius Fischer eine neue Rahmenhandlung. Siri trennt sich von Iris und geht nach Kanada: „Ich habe zwei Jahre gebraucht – und einen ganzen Ozean zwischen uns –, um einigermaßen festen Boden unter die Füße zu kriegen."**

* gekennzeichnete Zitate stammen aus dem Presseheft zum Film
** gekennzeichnete Zitate stammen aus dem Drehbuch

Scheu und zurückgezogen lebt Siri dort wie die Waipitis, die sie fotografiert. Ein Albinohirsch ist wie der Klon – anders als alle anderen. Siri trifft auf Greg, der sich in sie verliebt und so ihre Erinnerungen auslöst. Am Ende gibt er ihr auch die Kraft, die sterbende Mutter wiederzusehen und in den Tod zu begleiten. Im Buch wie im Film überlebt Siri „meinen eigenen Tod". Im Roman wird sie danach der Mutter viel ähnlicher und macht als bildende Künstlerin Karriere, während sie im Film fähig wird zu lieben. Die zentrale Aussage jedoch bleibt dieselbe: Erst allein, wenn Siri kein Blueprint, keine Blaupause mehr ist, kann sie ein ganzer Mensch, ein Individuum, werden.

Im Buch klagt Siri ihre Mutter offen an; sie bezichtigt ihre Schöpferin der „Missbrut" (S. 103–105) und polemisiert gegen Iris, indem sie ihr diese Worte in den Mund legt: „Lasst mich einen Menschen machen ... Im Namen der Mutter, der Tochter und des heiligen Gen-Geistes". Im Film haben der Drehbuchautor und Regisseur Rolf Schübel dieses Grundthema beibehalten und „keinen klassischen Science-Fiction-Film" gedreht. „Im Mittelpunkt steht ein Mutter-Tochter-Konflikt der ganz besonderen Art", erklärt Schübel, „und das Klonen wirkt dabei wie ein Katalysator."*

Diese noch nie dagewesene Mutter-Tochter-Beziehung birgt in der sehr privaten Geschichte große ethische Fragen. Zurzeit ist das Klonen von Menschen in Deutschland und der EU verboten, und drei Monate vor dem Filmstart, im Oktober 2003, diskutierte in New York der Rechtsausschuss der UN-Generalversammlung eine „internationale Konvention gegen das reproduktive Klonen menschlicher Wesen". Aber wie wird die Gesellschaft, wie werden wir reagieren, wenn sich jemand wie

Professor Fisher trotzdem darüber hinwegsetzt? „Was gedacht werden kann, muss auch getan werden",** sagt der Mediziner im Film.

Im Roman ist das Klonen bereits akzeptierter Teil einer neuen Fortpflanzungsfreiheit geworden. Im Film dagegen ist die Zukunft näher an unser Heute gerückt: Fisher, der zunächst auf Bitten von Iris hin geschwiegen hat, kommt für seine Tat ins Gefängnis. Im Buch weiß Siri auch von Anfang an, dass sie geklont ist, auf der Leinwand dagegen bricht diese Erkenntnis erst über Siri herein, als sie bereits 13 Jahre alt ist: Eine Reportermeute lauert ihr vor der Schule auf und bedrängt sie so heftig, bis sie hilflos auf dem Boden kauert. Danach versinkt das Mädchen in einen psychischen Schockzustand. Kaum genesen treibt Iris die Tochter in das erste große gemeinsame Konzert: „Ich habe immer gewusst, dass du so stark bist wie ich. Du bist doch mein Leben".**

Sowohl die Reporter als auch die zahlreichen Konzertbesucher konfrontieren uns mit der eigenen (Neu)Gier auf den Klon. Bei ihrem ersten großen Klonauftritt ist Siri im Roman (S. 82–83) jünger und hilfloser und versucht mit einer knalligen Schleife am Kleid die Mutter zu provozieren, um auf sich als Person aufmerksam zu machen. Doch sie scheitert. Im Film dagegen gelingt Siri eine wohl überlegte gesellschaftliche Provokation. Mit versteinertem Gesicht lässt sie sich zunächst von ihrer Mutter mit Blicken durch das Klavierduett dirigieren und durch kleine Bewegungen des hochmütig gereckten Kinns lenken. Als sich Siri während des Schlussapplauses verbeugt, heftet sie einen weißen Stern an ihr Kleid, auf dem das Wort Klon prangt. Ein Bild, das sofort viele Assoziationen auslöst: Judenstern, Menschenversuche, Aussortieren. Auch an ein Atommodell erinnert der Stofffetzen.

Für mich illustriert gerade diese Filmsequenz subtil und beeindruckend, warum Klonen gegen „die Menschenwürde“ verstößt – übrigens die wesentliche Begründung für alle bestehenden und geplanten Klonverbote.

Stärker als der Roman lässt der Film der Figur Iris Raum, setzt ihre Geisteshaltung in Szene, beispielsweise, wenn sie Siri den Klonstern wütend herunterreißt und die Tochter ohrfeigt. Oder wenn sie eitel in ihrer knallroten Konzertrobe eine Treppe herunterschreitet und sich dabei in einer Spiegelwand gleich vielfach reproduziert. Beim mehrmaligen Anschauen entdeckte ich immer wieder neue „Bilder“ von ihr. Als sie am Konzertflügel ihre Komposition „Für Siri“ spielt, um sich über Siris Flucht nach Kanada hinwegzutrösten, spiegelt sie sich, wie in vielen Szenen zuvor auch die Tochter, in dem schwarz glänzenden Holz des Pianodeckels.

Doch dann entfernt sich die Kamera so von der weinenden Iris, dass ihr Ebenbild „am Ende zerstört“ wird, wie es der Kameramann Holly Fink selbst formuliert hat.

Einzelne Motive wirken allein auch ohne Musik, aber ein Film ohne Musik bleibt blutleer. Die Filmmusik in BLUEPRINT kommt zu einem Teil von den ganz Großen, den Klassikern: Beethoven, Mozart, Bach, Schumann, Debussy, interpretiert von Iris Sellin, der die Pianistin Susanne Kessel ihre Hände leiht. Aber dann ist da auch die von Detlef F. Petersen komponierte Filmmusik. Dazu gehört für mich besonders dieser eine Ton, der von Anfang an immer wieder Bilder kommentiert. Ist er ein Schöpfungssignal oder ein Warnton? Viel später erfahren wir, dass er aus Iris' einziger Komposition „Für Siri“ stammt, gespielt auf dem Gipfel der Übereinstimmung. Diese zelebrierte Liebe, diese Wahrheit, die lügt (*Truth Lies* heißt der wunderbare Titelsong), wird von Fishers Klon-Geständnis entlarvt.

Der Film BLUEPRINT erzählt Iris' und Siris Geschichte, deshalb prägt ihn vielleicht noch stärker als sonst die Hauptdarstellerin Franka Potente. Als Schauspielerin habe sie die Herausforderung fasziniert, zwei Frauen unterschiedlichen Alters, also zwei Hauptrollen, gleichzeitig zu spielen. „Iris und Siri sind zwei Gegenpole", so ihre Sicht der Doppelrolle. „Sie sind fast untrennbar, wie ein Mensch mit zwei Köpfen, der in zwei Teile zerfällt, die nicht ohne einander leben können. Oder wie siamesische Zwillinge, die getrennt werden, und nur eine kann überleben."* Im Buch leitet eine übersteigerte Klon-Zirkus-Szene (S. 133–136) genau diese Trennung der beiden ein: „Die siamesischen Zwillinge, Iris und Siri, die zweiköpfige Musikerin mit den vier Händen, treten ins Rampenlicht."

Während Franka Potente die Mutter mit einer distanzierten Kühle spielt und fast als Kunstfigur erschafft, wirkt Siri natürlicher oder – wie es die Schauspielerin selbst formuliert hat – „poröser". Siri kommt ihr spürbar näher, weil deren Klon-Schicksal sie an der „Story" besonders fasziniert hat: „Wie fühlt man sich, wenn man erfährt, dass man gar keine klassische Identität hat? Ich finde Geschichten und Filme immer spannend, wenn sie neue Fragen in meinem Leben aufwerfen. In diesem Falle nach Ethik und Moral. Das sind Fragen, die auch mich beschäftigen."*

Wie Franka Potente mit einem Gesicht und einem Körper den zwei Frauen im Film Gestalt gibt und mit ihrer Ausdrucksstärke den zwei „Seelen" in Iris und Siri gerecht wird, hat mich als Autorin der Romanvorlage tief berührt.

Inzwischen habe ich den Film mehrmals gesehen. Wort und Bild sind glücklicherweise keine Konkurrenten geworden. Der Roman und der Film sind zwei eigenständige Annäherungen an das gleiche Grundthema. Manchmal entsprechen sich Wort- und Filmbilder, in vielen Momenten ergänzen und in den besten Szenen verstärken sie sich, und manchmal bündeln mächtige, ganz neue Bilder auf der großen Leinwand Gedanken vieler Buchseiten.

An mehreren Stellen des Romans fragen sich die Leser (S. 105, 112, 130 und 161 f.): Welche der zwei Frauen wird am Ende siegen? Oder muss eine sterben? Im Film dagegen wird das nur einmal Thema, und zwar in der folgenden Szene, die für mich zu einem der stärksten Filmbilder gehört:

Nachdem Siri zu Janeck gezogen ist, besucht Iris die entflohene Tochter, um sie zurückzuholen. Gnadenlose Abrechnung am Küchentisch: „Familien-Klon-Treffen" noch genau wie im Buch (S. 128–131). Im Film dann bettelt Iris: „Verlass mich nicht. Ich habe doch nur dich." Und Siri entgegnet ihr: „Komisch, ich habe auch nur mich! Warum sollte ich bei dir bleiben? Ich will ja nicht mal bei mir bleiben!"** Nachdem Iris gegangen ist, stellt sich Siri vor den Badezimmerspiegel. Mit der linken Hand tastet sie nach dem Muttermal an ihrer rechten Schläfe, das auch Iris an derselben Stelle hat. Ein blinkendes Skalpell führt Siri gefährlich nah an ihrem Hals vorbei und immer höher hinauf bis kurz vor den Haaransatz. Und dann schneidet sie sich den dunklen Hautfleck heraus. Während das Blut herunterfließt, lächelt Siri schmerzverzerrt, aber auch triumphierend dem Spiegelbild zu. Der Klon, dieser gezeichnete Mensch, will heraus aus der anderen Haut, aber er kann sich nur dieses kleine Mal entfernen.

Als ich im Kino an dieser Stelle zum zweiten Mal zusammenzucke, weiß ich, dass sich das Wagnis gelohnt hat, aus dem Roman *Blueprint-Blaupause* den Film BLUEPRINT zu machen.

Charlotte Kerner

Alle Informationen zum Film und dem Buch finden Sie unter www.blueprint-blaupause.de.

Quellen und Danksagung

Eine große Hilfe, das Klonthema zu begreifen, waren für mich der im Nachwort erwähnte Aufsatz von Hans Jonas: *Lasst uns einen Menschen klonen* (in: Technik, Medizin und Ethik. Zur Praxis des Prinzips Verantwortung. suhrkamp taschenbuch, Frankfurt 1987, S. 162–203) und das Buch von Claus Koch: *Das Ende der Natürlichkeit – Eine Streitschrift zu Biotechnik und Bio-Moral.* München 1994.

Anregungen bekommen habe ich auch von Dieter E. Zimmer: *Der Mensch und sein Double. Über Zwillinge und Zwillingsforschung* (in: Experimente des Lebens, Heyne-Sachbuch, München 1993, S. 49–107).

Auf den neusten Stand der Diskussion brachte mich zum Schluss eine Serie zur Ethik-Debatte um das Klonen in der ZEIT (Februar/März 1998) mit Beiträgen von Dieter E. Zimmer, Jürgen Habermas und Reinhard Merkel und das ausgezeichnete Überblicksbuch von Gina Kolata: *Das geklonte Leben.* Diana Verlag, München, Zürich 1997.

Die Passagen zur Zwillingsmythologie gründen auf drei Veröffentlichungen: Tobias Angert: *Doppelte Lottchen oder zwei Persönlichkeiten?* (in: Forschung Frankfurt, 9. Jahrgang, Heft 1, 1991, S. 34–44); Rainer Jehl, Roswitha Terlinden (Hrsg.), *Künstler Zwillinge* – Katalog zur Ausstellung, Symposium, Schwabenakademie Irsee, Irsee 1994; Karin Schlieben-Troschke, *Psychologie der Zwillingspersönlichkeit,* Köln 1981.

Für die Kunst Siri Sellins habe ich mir als Vorbild die Arbeiten der Künstlerin Rebecca Horn genommen, vgl. dazu: Nationalgalerie Berlin, Kunsthalle Wien in Zusammenarbeit mit Guggenheim Museum (Hrsg.): *Rebecca Horn,* New York 1994. Die Rede der Galeristin und die Aussagen Siri Sellins auf den S. 167 f gründen auf einem Gespräch daraus (S. 23–31). Rebecca Horns Kunstwerk *La lune seule,* das ich beim Besuch der Ausstellung in Berlin 1994 sehen und erleben konnte, ist das Vorbild für die Installation *Pollux seul* (S. 172 f.)

Das Farbfoto *Chicago bulls* (S. 100) stammt ursprünglich von Christine Hohenbüchler und ist abgebildet in: Rainer Jehl, Roswitha Terlinden (Hrsg.), *Künstler Zwillinge* – Katalog zur Ausstellung, Symposium, Schwabenakademie Irsee, Irsee 1994, S. 39.

Durch Gespräche und Literaturhinweise haben der Familientherapeut und Medizinpsychologe Professor Dr. Friedrich Balck, Lübeck/Universität Dresden, und der Biologe sowie Zwillingsforscher Dr. Tobias Angert, Universität Frankfurt am Main, mit dazu beigetragen, dass ich die Beziehung der Klone, dieser Zwillinge der Zukunft, besser begreifen konnte.

Sehr großen Dank schulde ich der aus Rumänien stammenden Komponistin Violeta Dinescu, Professorin für Angewandte Komposition an der Carl von Ossietzky-Universität Oldenburg. Sie hat sich viel Zeit für Gespräche genommen und mir Einblicke in ihre Arbeit gestattet. Ihre beeindruckende Musik, die sie mir auch auf Kassetten und Videos zugänglich gemacht hat – von den *Tautropfen* bis zur Kinderoper *Der 35. Mai* –, durfte ich freundlicherweise Iris Sellin zuschreiben. Ein Katalog mit einem Gesamtverzeichnis von Violeta Dinescus Werk ist erhältlich über: contemporary music Adesso, CH-6958 Corticiasca (Tel./Fax 0041 91 944 1326).

Die Dinescu-Oper *Eréndira* (s. S. 65) fußt auf einer Kurzgeschichte von G. G. Marquez: *Die unglaubliche und traurige Geschichte von der einfältigen Eréndira und ihrer herzlosen Großmutter* (in: Marquez, *Das Leichenbegräbnis der Großen Mama und andere Erzählungen,* dtv, München 1982).

Diskographie (Auswahl) zu den Kompositionen Violetta Dinescus:

Tautropfen, hrsg. von GEDOK, Heidelberg
Wenn der freude tränen fließen auf: On and off the keys. VMM Vienna Modern Masters 2027
Mein Haus ein Stein. Trio Contraste, Altrisuoni AS 043
piano works played by Werner Barho, Altrisuoni AS 042
Die letzten beiden CDs enthalten Echoes I und II

Meine Lektorin Susanne Härtel war wie immer eine sehr wichtige und produktive Kritikerin und Begleiterin auf dem langen Weg zum fertigen Buch.

© Anja Doehring

Charlotte Kerner

Charlotte Kerner, geboren 1950 in Speyer, studierte Volkswirtschaft und Soziologie in Mannheim. Nach Studienaufenthalten in Kanada und China schrieb sie zusammen mit einer Sinologin ihr erstes Buch. Seit 1979 lebt sie als freie Autorin und Journalistin mit ihrer Familie in Lübeck. Bei Beltz & Gelberg erschienen von ihr u. a. die Romane *Geboren 1999. Eine Zukunftsgeschichte* und *Blueprint – Blaupause* (Deutscher Jugendliteraturpreis) und die Biographien *Seidenraupe, Dschungelblüte. Die Lebensgeschichte der Maria Sibylla Merian*, *»Alle Schönheit des Himmels«. Die Lebensgeschichte der Hildegard von Bingen*, *Lise, Atomphysikerin. Die Lebensgeschichte der Lise Meitner* (Deutscher Jugendliteraturpreis), *Die Nonkonformistin. Die Lebensgeschichte der Architektin und Designerin Eileen Gray* sowie *Sternenflug und Sonnenfeuer. Drei Astronominnen und ihre Lebensgeschichten*, *Die Fantastischen 6. Die Lebensgeschichten von Stephen King, Bram Stoker u. a.*, *Jane Reloaded* und zuletzt *Rote Sonne, Roter Tiger. Rebell und Tyrann. Die Lebensgeschichte des Mao Zedong*. Für ihr Gesamtwerk wurde Charlotte Kerner mit dem GEDOK-Literaturpreis ausgezeichnet.

Charlotte Kerner

Geboren 1999

Roman, 176 Seiten (ab 14), Gulliver TB 78737
Auswahlliste zum Deutschen Jugendliteraturpreis

Karl Meiberg, geboren 1999, wurde als Baby adoptiert. Siebzehn Jahre später sucht er mit Hilfe der Journalistin Franziska Dehmel seine leiblichen Eltern. Was so harmlos beginnt, wird zu einer Reise in die Welt der Samenspender und Eilieferantinnen, der Retortenbabys und Leihmütter. Ein spannender Roman über eine mögliche Zukunft, die bereits begonnen hat.

Jennifer Rush

Escape

Aus dem Amerikanischen von Ulrike Brauns
Roman, 320 Seiten (ab 14), Gulliver 74800

Wer sind die vier jungen Männer, die im Keller von Annas Haus gefangen gehalten werden? Tag für Tag führen Anna und ihr Vater im Auftrag der »Sektion« medizinische Tests mit ihnen durch, um die Auswirkungen der Gehirnwäsche zu überprüfen. Und Nacht für Nacht schleicht sich Anna in den Keller, um sich heimlich mit Sam, dem Anführer, zu treffen. Als sich für Sam und die anderen eine Gelegenheit zur Flucht ergibt, schließt Anna sich ihnen an. Es beginnt eine gefährliche Suche nach der wahren Identität der Flüchtenden.

GULLIVER www.beltz.de
Beltz & Gelberg, Postfach 10 01 54, 69441 Weinheim